LIONEL
GROULX
TEL QU'EN
LUI-MÊME

Maquette de la couverture: Jacques Léveillé.

ISBN 0-7761-5053-7

Dépôt légal — Bibliothèque nationale du Québec
1er trimestre 1978

GUY
FRÉGAULT

LIONEL GROULX TEL QU'EN LUI-MÊME

LEMÉAC

AVERTISSEMENT

> De même pour les auteurs morts, lisez, lisez lentement, laissez-vous faire, ils finiront par se dessiner avec leurs propres paroles.
>
> Sainte-Beuve

On n'abordait pas n'importe comment Lionel Groulx. L'homme imposait par son prestige et ses manières. Encore aujourd'hui, et peut-être aujourd'hui plus que jamais, alors que le poids de son œuvre reste considérable et haute son autorité, il convient d'aller à lui avec cette attention, ces attentions mêmes que sa dignité commandait et qui, sans exclure l'affection, traduisaient un respect lucide autant que profond. Mauriac exprime bien ce sentiment complexe lorsqu'il s'apprête à parler de Barrès: dans son évocation du grand disparu, il ne sera « ni louangeur ni détracteur, mais véridique et tendre » ; n'est-ce pas la seule attitude possible « à l'égard de ceux qui, dans la traversée de ce monde confus et sombre, nous auront escortés jusqu'à la fin » ?

Pourquoi penser à Barrès ? Le titre que le vieil écrivain donne à ses souvenirs est barrésien: *Mes mémoires* ; c'est ainsi qu'à maintes reprises, dans ses *Cahiers*, l'auteur du *Culte du Moi* désigne le recueil de souvenirs qu'il prépare. Menée de bout en bout, sans interruption et lentement, la lecture des quinze cents pages dans lesquelles Groulx a rassemblé les siens rend étrangement sensible sa présence. Le rythme de la phrase apporte à l'oreille comme le son de la voix. Dès les premiers mots, pour ma part, j'ai tout reconnu, et jusqu'à l'accent tonique posé sur la première syllabe, la fin des phrases glissant dans un souffle: «*É*crire ses *Mé*moires! J'y ai *tou*jours vu la *be*sogne d'un *pa*resseux ou d'un *im*puissant.» Puis, le retour ne m'a nullement surpris sur l'idée, lancée pour être reprise, nuancée, liée enfin à une autre idée: celle de l'utilité, après tout, de cet ouvrage, qui peut fort bien «s'accorder avec l'action apostolique». Le Groulx des *Mémoires* rejoint celui que notre mémoire retenait.

Il est trop tôt pour affirmer à coup sûr que ce gros livre deviendra avec le temps le plus important de ses écrits. Mais quel document! Quel témoignage! L'auteur l'a, en somme, préparé durant toute sa vie: depuis le moment, peut-être, où il a commencé à tenir son journal; depuis le jour, sans aucun doute, où il a entrepris de constituer ses volumineux «spicilèges». À tout instant, il est fait mention de ces recueils dans les *Mémoires*. C'en est visiblement la source principale, à quoi s'ajoutent la correspondance de l'écrivain, ses propres textes, la collection de *L'Action française*, celle de *L'Action nationale*... Il fallait toute l'expérience de l'historien et sa longue pratique des documents pour fondre en un tout à l'allure à la fois libre et rigoureuse ces matériaux abondants et divers. Au fait, étant donné le traitement de ses sources et la fréquence des citations amenées comme preuves de ses assertions, l'auteur, est-on tenté de croire, a écrit son autobiographie beaucoup plus que ses mémoires. Sans en être absente, la spontanéité y est rare. L'ouvrage, et c'est révélateur, commence de la façon la plus classique: «Je suis né à Vaudreuil, le 13 janvier 1878, dans le rang des Chenaux.» Phrase qui aurait pu tout aussi bien, et sans doute mieux, être écrite à la troisième personne.

Il est fatal qu'une autobiographie soit un livre de vieillesse. Lionel Groulx a soixante-seize ans lorsqu'il se met à la rédaction de la sienne. Il y travaille d'abord avec rapidité; au bout de quatre ans, en 1958, il en a écrit cinq «volumes», et deux autres sont en préparation. Il s'engage dans le septième à quatre-vingt-cinq ans et le termine, précise-t-il lui-même, «à 86 ans tout près». Il aborde le huitième «à 88 ans passés». Il n'en a pas couvert le quart quand il dit approcher de ses quatre-vingt-neuf ans. Alors qu'il s'attable devant son avant-dernier chapitre, il fait le point: «J'entreprends ma quatre-vingt-neuvième année.» Avant de déposer la plume, il trace ces derniers mots: «Et voilà ce que l'on gagne à vieillir.» Il s'agit bien, pour lui, de déposer la plume, et non pas de la laisser tomber. Il voudrait la reprendre pour perfectionner ce premier jet. Mais déjà point le printemps de 1967. Voici le 23 mai. À l'ultime feuillet d'une grande vie, au dernier jour d'une grande œuvre, s'inscrit le mot FIN.

La rédaction des *Mémoires* se sera donc étalée sur treize ans. Avec des périodes de relâche, on s'en doute bien, puisque, pendant toutes ces années, le vieux maître continue à prononcer des conférences, à intervenir dans des débats publics, à présider l'Institut et à diriger la *Revue d'histoire de l'Amérique française*, à publier des articles, des brochures et des livres. Son dernier ouvrage paraît le jour même de sa mort. Plutôt qu'une coïncidence, il semble légitime d'y voir un symbole. Le plus vrai et le plus professionnel de tous les écrivains québécois est mort en écrivant. Hommage à la durée, acte de fidélité, le nouveau livre qu'il donnait avait pour titre *Constantes de Vie*. Groulx avait à plus d'une reprise livré au public son « dernier » ouvrage. Cette fois, il s'agissait bien du dernier. Pas encore : en 1970 paraîtra le premier tome de ses *Mémoires*, et le quatrième en 1974.

Les commentaires qui suivent émergent d'une lecture reprise en 1977. La date importe. Elle mesure deux distances : les dix ans qui ont passé depuis la mort de l'écrivain et les cent ans, chiffre à peine arrondi, qui se sont écoulés depuis sa naissance. Voici que la dixième partie de la banquise est visible. Le reste s'enfonce dans la profondeur glacée du temps. Le bel objet ne peut plus se diriger lui-même ; il flotte au gré des courants de l'actualité. On ne saurait lire cet écrit comme on eût fait il y a encore cinq ans. On ne lui pose pas les mêmes questions qu'on aurait alors formulées ; l'époque que nous traversons, et dont nous sortirons, en inspire d'autres. Lorsque la dernière génération des contemporains, ne laissant à son tour que ses apparences, je veux dire ses témoignages, sera morte et aura déjà commencé à fondre à la surface agitée du souvenir — ou de l'oubli : c'est tout un —, d'autres questions, les mêmes peut-être, mais tenant à une conjoncture nouvelle, déplaceront, situeront dans une lumière différente, donc transformeront l'actualité des *Mémoires*. L'histoire, au surplus, aura entrepris son travail de triage et d'approfondissement ; elle aura poussé ses explorations sous la surface mouvante, elle aura recueilli des faits, des intentions, des enchaînements et jusqu'à des pensées inconnus aujourd'hui ; surtout, elle saura la suite qui efface des détails, mais élargit les perspectives ; en somme, elle bénéficiera de son irremplaçable point de vue.

Pour l'instant, quatre questions nous sollicitent. Quelle image les *Mémoires* nous renvoient-ils de la figure de Lionel Groulx ? Quelle place, dans ce texte, reflet de cette vie, l'historien occupe-t-il et sous quels traits en ressort-il ? Comment apparaît cet homme d'écriture et d'action, d'écriture qui se veut action et d'action qui repose sur la parole, à travers les cahiers — les « volumes » — dans lesquels il a transcrit et défendu son activité ? Enfin, question surgie du fond de l'histoire, de son temps et du temps présent, quel est son apport à la position du problème, toujours fondamental et plus actuel que jamais, de l'indépendance du Québec ?

Écoutons, sans nous interdire de réfléchir en même temps aux réponses. Mais, surtout, écoutons.

I

TEL QU'EN SES *MÉMOIRES*

> Ô misère de nous! notre vie est si vaine
> qu'elle n'est qu'un reflet de notre mémoire.
>
> Chateaubriand

Le Groulx des *Mémoires* se présente comme celui que nous avons connu, les traits seulement un peu plus accusés. C'est bien le même homme qui, à force de volonté, a façonné son existence et, à force de volonté encore, a construit sa propre biographie.

Dès la première page du fameux récit de sa vie, le cardinal de Retz a voulu parer le coup, à vrai dire inévitable, auquel s'exposent tous ceux qui se racontent, en reconnaissant que «la fausse gloire et la fausse modestie sont les deux écueils que la plupart de ceux qui ont écrit leur propre vie n'ont pu éviter». Lionel Groulx, autant le constater au départ, n'échappe tout à fait ni à l'un ni à l'autre de ces dangers. Modestie excessive et légèrement incroyable que celle avec laquelle il présente ses souvenirs: il les rassemble, déclare-t-il, «par pur divertissement, ... par passe-temps»; c'est un «délassement» qu'il s'accorde parce que sa mauvaise santé ne lui permet guère de faire autre chose; il s'adonne à cette œuvre mineure, poussé par le même besoin qui lui a fait jadis «écrire quelques ouvrages de passe-temps»: celui de s'évader «de travaux arides»; il le fait pour se «désennuyer», parce qu'il ne peut «guère écrire autre chose et que peut-être on lira [cet ouvrage], comme on lit, par hasard, une feuille jaunie de quelque vieille gazette trouvée au fond d'un tiroir». Il range sur le même rayon ses *Mémoires*, ses *Rapaillages* et ses romans, «ouvrages qui, après tout, furent d'assez petites choses et qui ont survécu je ne sais trop comment». Malgré son insistance plutôt suspecte, ce ne sera pas, peut-on prévoir, le sentiment des historiens de la littérature; ce ne sera sûrement pas celui des historiens de la société. Du reste, ses *Mémoires* ne sont-ils pas, de tous ses livres, celui auquel il aura consacré le plus de temps? Ils l'auront occupé beaucoup plus longtemps que son *Histoire du Canada français*, rédigée — à marches forcées, il est vrai — en trois ans.

Quant à la fausse gloire, ce n'est pas d'aujourd'hui que les observateurs soupçonnent l'écrivain d'y succomber. À quelqu'un qui, dès les années quarante, m'en faisait la remarque (sans méchanceté, c'était un de ses admirateurs), je me rappelle avoir répondu que, si l'homme était vaniteux, il en avait les moyens. Les *Mémoires* grossissent ce trait. L'auteur se cite à profusion. Il reproduit sa prose et même ses vers. Tout y passe: extraits de ses livres, de ses articles et de ses recueils d'articles, fragments de ses conférences, tant publiées qu'inédites, passages de ses lettres et de celles de ses correspondants, y compris les morceaux les plus élogieux; par-dessus tout cela, les commentaires que suscitent ses ouvrages, et ceux que provoquent ses discours, et les discours qu'occasionnent ses anniversaires. Chateaubriand, tous le savent, en faisait autant. Les *Mémoires d'outre-tombe* ne sont pas d'un grand modeste.

Compensation, peut-on rappeler, pour les coups qu'il a reçus tout au long de sa carrière; et il est exact qu'il a attrapé force horions, ayant lui-même allongé un certain nombre de gifles retentissantes. Mais de combien d'« hommages » n'a-t-il pas reçu le tribut? Il a été couvert d'admiration, entouré d'une véritable cour. De tout cet encens, dont je serais le dernier à contester qu'il fût mérité, comment aurait-il pu, parfois, et jusque dans ses souvenirs, n'être pas quelque peu grisé? D'autres ont perdu pour bien moins tout sens des proportions. Vanité: lui-même ne recule pas devant le mot. Voyez-le évoquer l'accueil ménagé au discours qu'il a prononcé à Québec, le 7 juin 1964, devant la Fédération des sociétés Saint-Jean-Baptiste: «Mon allocution ne devait durer qu'un quart d'heure. Elle dura une demi-heure, coupée par trop d'approbations vibrantes. Je le confesse avec un peu et même beaucoup de confusion, j'éprouvai, une fois de plus, ce jour-là, la joie et la vanité de sentir, devant moi, un auditoire véritablement dominé, les yeux braqués sur les miens et qui communiant à ma pensée, à mes déclarations passionnées, me paraissait onduler par vagues.» Le triomphe a beau être narré avec complaisance — mais quel style! —, il n'est en rien usurpé.

Cette vanité tout à fait explicable, et aussi légitime que toute vanité peut l'être, n'est pourtant pas ce qui a valu aux *Mémoires* les reproches les plus vifs. Leur publication, qui ne s'en souvient? a provoqué les plus fortes réactions au sujet du traitement que Mgr Joseph Charbonneau s'y voit infliger. Il n'y a pas lieu d'esquiver cette discussion. Pour qu'elle ait quelque utilité, il faut, au contraire, l'élargir. En même temps que celui du malheureux archevêque, il semble important d'examiner toute une petite galerie de portraits. Grands tableaux fouillés ou rapides esquisses, ils montrent comment leur auteur voit les hommes — et donc dans quelle lumière il voit l'homme, jusqu'où s'étend son attention et où s'arrête son regard. Profond ou trop court, ce regard? Guidé par la sympathie ou réduit aux limites de la prévention? Étendu aux dimensions de la société ou restreint aux lisières d'un clan? Voici que les portraits s'animent, peut-être le diront-ils.

On souhaiterait, il faut l'avouer, que Lionel Groulx eût élagué les pages consacrées à «l'être étrange, anormal de Joseph Charbonneau» et qu'il se fût moins étendu sur le «cas pathologique» du prélat, «victime fatale de son tempérament, de son esprit mal équilibré». De même, on s'accommoderait volontiers de pages plus sobres que celles des *Mémoires* sur l'égarement intellectuel d'Henri Bourassa, expliqué par une excursion généalogique qui a, certes, en elle-même, son intérêt, mais qui, c'est à craindre, loin de démontrer ce que l'auteur se propose d'établir, a plutôt l'effet d'éloigner le lecteur de ce qui devrait être une véritable explication. Caractère entier, absolu dans ses convictions, pénétré de ses certitudes, prompt à conclure et à exclure, l'écrivain ne pouvait pas concevoir qu'une intelligence saine formât des idées opposées aux siennes. De ce qu'ils ont agi et pensé comme il n'admet pas qu'on le fasse, il déduit que Charbonneau et Bourassa ont, comme aurait dit Montaigne, «un esprit desmanché». Jugement excessif, propre à inspirer la sympathie pour les têtes qu'il atteint.

C'est ce qui s'est produit à l'égard de Charbonneau. L'archevêque ne méritait ni l'indignité dont les *Mémoires* l'accablent ni l'excès d'honneur dont ses défenseurs le gratifient. Il avait de la générosité naturelle. Il tombait dans un milieu affecté par une espèce de réaction de fin de régime: période de durcissement destinée à peser encore une vingtaine d'années avant que se produisît l'effondrement de structures de plus en plus lourdes. L'atmosphère étouffait, je m'en souviens, quiconque venait de l'extérieur. Charbonneau venait de l'Ontario. Il a voulu, semble-t-il, ouvrir les fenêtres. Dans son esprit, les fenêtres devaient, comme il est normal, donner sur l'horizon qui lui était le plus familier. Il portait le modèle franco-ontarien dans son expérience personnelle; c'était le seul qu'il connût vraiment à fond: comment s'étonner que, d'un mouvement spontané, il l'ait pris pour unité de mesure? Les *Mémoires* rapportent avec une admirable justesse qu'il avait «une mentalité d'évêque ontarien». Là réside sans doute, pour l'essentiel, l'explication des singuliers projets que caressa le prélat, homme aussi autoritaire que ses contradicteurs et porté, c'est bien connu, à éclater pour un rien. Était-il exact qu'il méditât d'introduire le «bilinguisme dans tout l'enseignement en son diocèse, bilinguisme intégral, total»? Lionel Groulx lui-même n'est pas sûr que ce bruit se soit trouvé «fondé». Quoi qu'il en soit, il n'était pas indispensable d'être fou pour envisager des projets de cette sorte; il suffisait d'être mal informé et de suivre jusqu'au bout l'une ou l'autre des deux pentes de l'esprit canadien-français: emprunter sans discernement les formules des autres ou se replier dans la marginalité.

Caractère entier, avons-nous dit, que celui de Lionel Groulx. Les portraits, toujours intéressants et souvent passionnants, dont les *Mémoires* abondent manifestent un goût médiocre de la nuance et une nette prédilection pour le trait durement appuyé. Le partage est, je ne dis pas sommaire, mais décisif entre les brebis et les boucs. Esdras Minville, René Chaloult (décrit plutôt d'après sa correspondance), Philippe Hamel, Édouard Montpetit (malgré de légères réserves), Léo-Paul Desrosiers, voilà autant de personnages ornés de têtes sympathiques : l'auteur des *Mémoires* avoue avoir estimé le romancier laborieux que fut Desrosiers au point de songer à lui offrir sa succession à la direction de la *Revue d'histoire de l'Amérique française*. En revanche, il portraiture d'une plume ironique Henri d'Arles et Olivier Maurault ; d'une plume piquante, Émile Chartier ; d'une plume qui griffe, le cardinal Villeneuve et André Laurendeau. Villeneuve aura été l'ami et le confident, parfois presque le complice, des belles années de lutte ; il devient l'amère déception des années quarante, alors qu'engagé à fond dans la propagande belliciste, adorant en grande cérémonie ce qu'il a brûlé, il pousse la ferveur guerrière jusqu'à se faire photographier — il croit, il est vrai, à l'immortalité par la pellicule — aux commandes d'un char d'assaut.

André Laurendeau, l'écrivain donne de lui l'image d'un garçon « d'apparence frêle, de figure pâle avec des yeux luisants, d'une démarche oscillante, démarche d'un homme qu'on eût dit mal posé sur ses pieds, et dont on aurait pu augurer de faciles déviations dans la vie ». Pour un peu, on soupçonnerait presque le bon abbé de regretter que le personnage ne soit pas resté le très curieux amateur de pugilat qui, suivi d'une couple de durs du même style que lui, s'était engouffré un jour dans son cabinet avec l'héroïque projet de donner la fessée à un ministre fédéral. Mais Laurendeau allait évoluer. Dès qu'il eut compris que l'aventure du Bloc populaire tirait à sa fin, le jeune député de Laurier abandonna la bataille parlementaire pour entrer dans le journalisme. Décrochage impardonnable aux yeux de l'auteur des *Mémoires*, qui va jusqu'à se demander: «Journaliste, l'était-il vraiment?» Il trouve dans ses articles «un peu trop de la dissertation, de la subtilité». Il lui oppose M. Gérard Filion, «l'esprit solide, le gaillard qui échange volontiers sa plume pour un bâton, le journaliste au ton tranchant, qui sait faire entendre ce qu'il pense sans que personne n'ait à se fouiller». Pourtant, avec l'«Introduction générale» au *Rapport de la Commission royale d'enquête sur le bilinguisme et le biculturalisme*, Laurendeau écrira l'un des textes politiques les plus importants qu'un Québécois ait jamais élaboré. Il y aurait mal réussi avec un bâton.

Pourquoi examiner ces portraits? Parce qu'ils révèlent le peintre encore plus que les modèles. Qu'il s'agisse de Charbonneau, de Bourassa, de Villeneuve ou de Laurendeau, leurs «déviations», au témoignage des *Mémoires*, procéderaient de défaillances personnelles. Les deux premiers auraient l'esprit dérangé: mal chronique chez le prélat, éclipse d'une durée d'au moins dix-sept ans chez le leader nationaliste. Quant au cardinal, il serait «fort impressionnable», impuissant à toujours maîtriser ses nerfs. Pour Laurendeau, c'est sa «franchise» qui est mise en doute; entendons: sa fidélité. On s'étonne qu'un historien, normalement amené par la pratique même de son métier à considérer les situations et les hommes dans leur dimension sociale et sous le rapport du temps, puisse s'accommoder d'explications aussi courtes, aussi étroitement individuelles; ou plutôt, on s'en étonnerait si, précisément, l'historien chez Groulx n'inclinait presque toujours à ramener les problèmes au niveau personnel — que l'on pense à ses bons et à ses mauvais gouverneurs britanniques — et s'il n'était porté à rendre compte des évolutions les plus complexes à travers les saints, les héros et les traîtres (les «politiciens»), à travers les «chefs».

Reprenons. Voici Charbonneau: ni insensé ni génial. Mais isolé. Il ne devance ni son Église, ni ses collègues de l'épiscopat, ni la situation dans laquelle il se voit introduit. Il ne les domine pas davantage. Le milieu qui l'a fait n'est certes pas supérieur à celui qu'il veut transformer. Sans doute peut-il voir mieux qu'un autre certaines anomalies: il n'y est pas habitué; mais, tirée d'un groupe encore plus faible que celui qui l'accueille — fort mal, d'ailleurs —, son expérience ne saurait guère lui inspirer les projets et les méthodes propres à les corriger. Quand Mgr Philippe Perrier le désigne comme «l'Autre», il exprime une profonde vérité: psychologiquement, l'archevêque est «l'Autre», l'étranger transplanté au sommet d'une organisation très consciente de sa force, très assurée d'avoir raison, très attachée à ses traditions, absolument liée à ses propres idées et déterminée à en maintenir l'intégrité. Ici pourrait intervenir le caractère de l'homme, pénétré de l'étendue de ses pouvoirs et décidé à s'en servir, impulsif, ne mâchant pas les mots et ne voyant pas de trop près aux détails. Le caractère pouvait précipiter une crise; il ne pouvait pas en créer les conditions. Lionel Groulx a entrevu cette explication. Il l'a même suggérée en discernant chez le prélat une mentalité d'évêque ontarien. Muni de l'information unique dont il disposait, que n'a-t-il exploré cette piste plus avant?

Bourassa, est-ce surtout, est-ce réellement le «scrupule» maladif qui l'éloigne tout à coup de ses cadets de *L'Action française*? En 1922, lorsqu'il rompt avec eux, il les voit semer le séparatisme québécois. Son intelligence et son intuition lui disent-elles que cette semence lèvera ? La véhémence avec laquelle il combat ses amis de la veille porterait à le supposer. Ce n'est pas lui qui a évolué, ce sont eux. Il reste vissé à la doctrine qu'il a élaborée. L'homme qui se retourne, réprobateur, contre Lionel Groulx et son entourage demeure exactement celui qui, près de vingt ans auparavant, a soutenu le point de vue canadien contre Tardivel, partisan de l'indépendance du Québec. Et puis, quel maître peut supporter que ses disciples ne répètent pas avec docilité ses leçons ? Quand Bourassa et Groulx se retrouveront, la réconciliation s'accomplira non sans élégance, mais sur le terrain du premier.

Au sujet de Villeneuve, une amitié nostalgique dicte à l'auteur des *Mémoires* des propos d'une circonspection et d'une délicatesse assez peu habituelles. L'écrivain repasse plusieurs hypothèses. Omer Héroux, qui a trop lu — avec l'autorisation de son Ordinaire — *L'Action française* (de Paris), se demande ingénument, à propos du prince de l'Église, s'il est « bon qu'on aille chercher les cardinaux en de trop humbles classes sociales ». Lionel Groulx repousse avec raison cette supposition plus insultante que lumineuse. De son côté, l'ancien secrétaire du « petit Cardinal » avance en connaisseur : « Il a voulu tout au plus se conformer à la politique des anciens évêques de Québec depuis Mgr Briand. » Excellente observation, que l'historien rejette pourtant, la jugeant « très simple ». Il en rapporte une autre à laquelle il ne semble pas attacher beaucoup de poids, bien qu'elle soit d'un ancien secrétaire d'État du Canada : « Lors de son passage à Londres, en 1939, nous avons trouvé le moyen de faire savoir à l'Archevêque de Québec qu'il tenait son chapeau de la diplomatie canadienne et londonienne agissant de concert. » Enfin, rentrant de ce voyage, le cardinal manifeste un grand trouble devant l'imminence du conflit mondial. Réunis, les trois derniers témoignages sont peut-être de nature à conduire à la vérité. Le «petit Père» Villeneuve est devenu une personnalité internationale. Il voit les choses de plus haut que ses anciens compagnons. Son horizon n'est plus celui de *L'Action nationale* et du *Devoir*. Cet éminent Canadien sait sans doute mieux que ses amis d'hier, restés «provinciaux», où va le Canada. La guerre de 1939 peut lui paraître différente de la guerre des Boers et même de celle de 1914. Le voici maintenant au niveau des grandes affaires et des vastes combinaisons politiques. Surtout, fait qui me paraît déterminant, il est bien, comme Mgr Bernier l'a compris, l'héritier de la tradition politique du siège primatial de Québec. Bref, en plus de tenir à la politique, et à la plus haute, l'attitude du grand dignitaire ecclésiastique se rattache directement à une constante historique. Voilà, est-on porté à penser, ce qui explique sa conduite, avec plus de vraisemblance, en tout cas, que l'évocation de son seul caractère. Et, s'il faut faire intervenir ce dernier, il se révélera peut-être moins «impressionnable» que calculateur.

Laurendeau est né en 1912, toute une génération après Lionel Groulx. Élevé dans l'atmosphère de *L'Action française* (de Montréal), formé un peu à la façon d'un Dauphin, c'est, à vingt ans, au Groulx de *Notre avenir politique* qu'il donne son adhésion. Pendant un séjour de deux ans en Europe (1935-1937), il se lie aux mouvements chrétiens de progrès, ceux du P. Doncœur, de la *Revue des jeunes*, d'*Esprit*, de *Sept*. Il élargit ses horizons. Il est de son temps. Comme tout le monde? En effet, mais consciemment. Quand, à vingt-cinq ans, il recueille la direction de *L'Action nationale*, il se voit entouré d'aînés. Parlant des directeurs de la Ligue dont la revue est l'organe, il lui arrive de dire en souriant:

« Mon Sénat ». Il reste fidèle aux siens : à sa « race », dirait volontiers la petite gérontocratie qui l'entoure, et c'est justement ce que, comme les hommes de son âge, il ne dit plus lui-même volontiers. Il choisit son terrain. Cependant, s'il prend ses distances à l'égard d'une école, il reste lié à sa communauté nationale. Il continue à lui appartenir — tout en prenant, petit à petit, possession de lui-même. Jeté prématurément dans l'action, porté trop jeune à la tête d'un parti, il donne, en se ressaisissant, l'impression de reculer. Cette impression est fausse. Ici, le malentendu n'est pas entre personnes, les unes bien fixées, les autres mal posées sur leurs pieds. Il est, inévitable, entre générations.

En Lionel Groulx, les *Mémoires* présentent plus qu'un peintre qui se révèle dans ses portraits. Ils montrent un homme qui trace à coups d'événements, d'anecdotes, de citations et de jugements l'image de sa propre figure. Cette figure est celle d'un chef. Les jeunes des années 1935 ne s'y sont pas trompés, qui l'ont spontanément élevé à cette fonction. Élevé ? Non : choisi, distingué, élu à leur manière, proclamé. C'était, du reste, l'heure des chefs. Au sentiment de l'écrivain, cette heure était belle. Ses textes de l'époque sont plus explicites à ce sujet que le texte des *Mémoires*. En 1936, il fait l'éloge de Salazar, « le dictateur portugais, le moins bruyant, mais, à mon sens, le plus digne, le plus constructeur, le plus grand des dictateurs contemporains ». La nouvelle Italie le remplit d'enthousiasme : « Messieurs, lorsqu'il y a quelques années nous avons vu passer, au-dessus de notre pays, dans un éblouissant sillage d'audace triomphante, l'escadrille aérienne du général Balbo ; lorsque, quelques années plus tard, nous avons appris l'étonnante conquête de l'Éthiopie, conquête qui au sentiment d'experts militaires français fut un exploit de génie, l'une des plus merveilleuses campagnes de guerre de ces derniers cinquante ans, j'en prends à témoin ceux qui ont vécu à Rome au commencement de ce siècle: combien eussent alors osé prédire au peuple italien de ce temps-là, un si extraordinaire destin?» La même année, il s'écrie encore: «Comme moi aussi, j'en suis sûr, vous songez parfois à tous ces pays, grands et petits, qui ont connu, en ces derniers temps, leurs heures de réveil, d'exaltation, d'enivrante reconstruction. Vous pensez à l'Italie, à l'Irlande, au Portugal, à l'Autriche, à d'autres. Et vous vous dites: ces heures, notre province, notre race, les verront-elles jamais? Oui, Messieurs, nous les verrons, car le réveil s'en vient. J'en perçois le signe dans ce cri d'inquiet et de souffrant qui monte parfois de la masse: cri vers un chef qui réparerait tout, qui sauverait tout...»

Homme pour qui il n'est de rang que le premier, chef conscient de l'être, il se traite et se représente comme tel. Chef, déjà, le gamin des Chenaux, qui entraîne ses cadets à la cueillette des baies, pousse sa petite équipe à l'ouvrage, sonne l'heure du déjeuner, décide celle du retour. Chef, le jeune abbé qui dirige des consciences et organise «une croisade d'adolescents». Chef encore, le collaborateur de *L'Action française*, qui ne tarde pas à se voir confier la direction de la revue. Chef, le Québécois de Paris qui fonde un «comité de propagande» et à qui, d'un commun accord, sans hésiter, ses collègues attribuent le poste de direction. Chef d'école, le conférencier qui conquiert, porté par son public, une chaire d'histoire à l'Université de Montréal. Chef toujours, le vieil écrivain qui crée l'Institut ainsi que la *Revue d'his-*

toire de l'Amérique française et meurt directeur de celle-ci, irremplaçable président de celui-là.

Ce n'est pas qu'il s'élève dans les hiérarchies officielles. À soixante-cinq ans, il reçoit le titre de chanoine honoraire, à sa grande surprise et à son corps défendant. À l'Université, aucune charge, même si, dès 1934, le cardinal Villeneuve, dans une conférence retentissante, le range au nombre des quatre grands du haut enseignement québécois. Il n'acquiert de pouvoir ni dans l'Église, ni dans l'Université, ni, bien entendu, dans l'État. Il a mieux que le pouvoir, il possède l'autorité. C'est celle de l'intellectuel dans une société que l'intelligence est loin de dominer. C'est celle de l'homme remarquablement doué, exceptionnel, tranchant, volontaire. C'est, dans une très large mesure, celle de l'opposant. Il en va ainsi dès le début de sa carrière. Ses *Mémoires* évoquent longuement les contrariétés qu'il a éprouvées dans le premier collège auquel il s'est trouvé attaché: établissement dirigé, dit-il avec ses amis, par « le gouvernement de la queue ». Il en sera toujours ainsi. Il entraînera dans son sillage une partie des intellectuels, une partie de la jeunesse et le gros des patriotes qui se désignent comme « nationalistes ». Même réunis, ces éléments ne font toujours qu'une minorité, assez active pour déranger la médiocrité propriétaire du pouvoir, trop faible, toutefois, pour la déloger. Lionel Groulx est un chef, mais un chef de partisans.

Toute sa puissance est dans sa volonté. Très jeune, il s'est pris en main et se gouverne. Il s'impose une discipline exacte. Élève de syntaxe, il lit Corneille: magnifique départ. En versification, cependant, un professeur l'initie à Veuillot, dont il dévorera tous les livres. Louis Veuillot, ce « despote », disait Barrès, qui le rangeait avec Maurras et une couple d'autres polémistes au nombre des hommes « qui perdent les idées qu'ils portent ». Lionel Groulx gardera pour le « despote » une admiration indéfectible, persuadé jusqu'à l'âge de ses *Mémoires* « que beaucoup de jeunes esprits encore à la période de formation seraient de meilleure santé et de plus ferme équilibre si, en leurs lectures, ils avaient accordé aussi large place à Veuillot et à de Maistre qu'à Gide, Sartre ou Malraux ». Il lit aussi La Bruyère. Lectures austères? « Mais c'est alors, explique-t-il, mon habitude de lire par raison plutôt que par goût. » Il s'impose des exercices: transcrire, par exemple, et retranscrire l'*Athalie* de Racine et l'apprendre par cœur. Tout cela pour se maîtriser, se former, se tailler comme un arbre, impitoyablement. « Ce ne sera, avoue-t-il, qu'à force de discipline que j'arriverai à tenir en laisse et à tuer en moi le rêveur. »

Il aime les caractères forts. Il donne avec une immense fierté l'exemple de sa mère: la vieille dame, « victime enchaînée », s'était fait amputer une jambe, puis l'autre; il arrivait qu'une plainte lui échappât: « Mais le ressort d'acier se raidissait en elle. » En 1908, étudiant impécunieux, il passe l'été en Bretagne, au manoir du comte de Cuverville, amiral à la retraite et membre du Sénat. Il entre au service du grand homme en qualité d'aumônier. « M. le Comte », ainsi s'exprime l'abbé Groulx, mène la vie la plus réglée du monde: lever à cinq heures; à six heures, messe, à laquelle toute la maison est appelée au son de la cloche; travail à la bibliothèque jusqu'à midi; déjeuner, puis séance à la bibliothèque jusqu'à six heures; à six heures, nouveau rassemblement à la chapelle, où les domestiques sont « mêlés sans protocole » aux maîtres du château: chapelet, prière du soir; à sept heures, dîner, suivi d'un séjour au salon, où le sénateur se permet une heure de détente « dans un roman de Walter Scott » ; à neuf heures, il va se coucher. Aujourd'hui, il y a le bureau de neuf à cinq ; en ce temps-là, c'étaient les vacances, oui, les vacances ! de cinq à neuf. De cette saison et du personnage qui la domine, Lionel Groulx conservera un souvenir impérissable. C'est cette année-là que l'écrivain connut aussi Théodore Botrel. Il se fit photographier avec lui, fit encadrer la photo ; elle pend encore au mur, en bonne place, comme il le voulait, rue Bloomfield. Botrel ! N'allons pas sourire. Il était à la mode. Des auteurs de chansons à la mode, il y en aura toujours avec nous : nos goûts modestes en font des idoles.

Il admire la volonté chez ses modèles et en lui la cultive. C'est elle qui fait de lui un prêtre. Il s'y détermine après un grand débat intérieur, marqué d'une discussion serrée avec son directeur spirituel. Décider, c'est, dans toute la force du terme, trancher. Il tranche le nœud compliqué des raisons qui l'attacheraient à la politique s'il était possible de pratiquer celle-ci noblement, comme Montalembert, dont il a étudié la vie avec passion. En 1900, ses *Mémoires* le rappellent, « le jeune homme qui, alors, veut faire quelque noble emploi de son existence d'homme... ne peut songer ni à l'action économique, ni à l'action sociale, très peu à l'action intellectuelle, encore moins à l'action catholique. Autant de carrières inconnues ou point ouvertes. Quiconque rêve plus grand que soi, tente d'élever ses aspirations au-dessus du froid individualisme professionnel ou autre, ne découvre de carrière où se dépenser et acquérir quelque notoriété, que la carrière politique. Et encore quelle politique ! » A-t-il compris dès lors que la politique aurait détruit un Groulx sans fortune ? A-t-il vu tout de suite que si, dans cette catégorie, tous ont une étiquette, peu réussissent à avoir un nom ? Une fois sa décision arrêtée, il éprouve une intense sensation de paix, récompense du combattant qui a livré une lutte franche. Le sort en est jeté, il servira le Maître comme il a vu servir ses maîtres — seulement avec plus de méthode et plus de feu. Le ministère paroissial ne l'attire pas. Les effectifs y sont d'ailleurs considérables. Il parlera bien une fois ou deux de se faire « curé », mais cette velléité, qui ne se mue jamais en décision, ne lui vient qu'aux moments où la partie est tellement rude qu'il songe (presque) à l'abandonner. Jusque vers l'âge de quarante ans, se rappelle-t-il, il n'a « rien rêvé d'autre qu'une carrière de professeur et d'éducateur-prêtre dans un collège ». À la façon dont il voit sa fonction, on comprend qu'elle lui suffise : « Préparer l'élite des chefs de la nation, peupler les grands séminaires, les noviciats des communautés religieuses, et ce, dans un petit pays qui a besoin plus que tout autre de son élite, quelle œuvre plus ample et plus solide que celle-là ! »

Élevé (dans tous les sens du mot) au sein d'un milieu où le clergé est le grand éducateur, Lionel Groulx tiendra naturellement à ce que ce grand corps continue son œuvre en perfectionnant son magistère, et cela, non pas par intérêt de classe, non pas par esprit de caste, mais, beaucoup plus profondément, parce que telles sont et sa conviction intime, et la tradition à laquelle il participe, et la culture dont il est le produit. Relever l'éducation, en faire la formation de l'âme en même temps que de l'esprit, en faire aussi l'éducation nationale, en portant plus haut la compétence et la valeur des maîtres, tel est son projet ; projet tout de même plus cohérent que celui qui consistera à hausser l'instruction par la construction de grosses usines d'enseignement. Le rôle de direction du clergé enseignant, lui-même et ses contemporains persisteront cependant à le soutenir, sinon à vouloir l'augmenter, alors même que la collectivité se sera développée suffisamment pour recruter des maîtres en dehors du monde ecclésiastique. Les *Mémoires* font état d'une conversation importante qu'il eut avec Mgr Charbonneau, au début de la décennie quarante. Elle révèle bien l'esprit de l'époque. Au cours de l'entretien, l'abbé recommande la création d'une école normale supérieure. L'archevêque prend feu : il promet que ce projet se réalisera. « Et proposez-moi, demande-t-il, deux prêtres que je pourrais mettre à la tête de cette école. » Lionel Groulx avance les noms des abbés Philippe Perrier et Percival Caza. Est-il rien de plus fort qu'une solide vocation ?

Son œuvre a beau s'accroître et s'étendre son influence, ceux qui le suivent avec le plus de conviction voient toujours en lui un directeur de conscience. Des amis, que les *Mémoires* disent, il est vrai, « très complaisants », le voient appelé à « une destination providentielle ». Laquelle ? « Au lieu, explique-t-il, d'un groupe de jeunes gens à diriger, la Providence m'aurait confié un peuple, notre petit peuple. » Bien qu'il s'empresse d'ajouter, ironique : « Rien que cela... », il n'en rapporte pas moins ces propos. Autre façon, et la plus haute, d'être un chef.

C'est pourtant exact : à un niveau que personne, sans doute, n'a jamais atteint dans son siècle, Lionel Groulx a dirigé la conscience canadienne-française. Les leaders politiques, même les plus adulés et les plus puissants, ont passé, engloutis par le discrédit ou perdus dans un oubli au total miséricordieux : Wilfrid Laurier, Henri Bourassa, Maurice Duplessis... Le frêle abbé demeure. Entre 1935 et 1945, alors qu'il était au sommet de sa prestigieuse carrière, que la crise, puis la guerre sévissaient et que les affaires publiques étaient aux mains de praticiens trop faux ou trop insignifiants, un regret venait spontanément à ceux qui voyaient Groulx plein d'idées, débordant d'activité, animé des plus nobles intentions et disponible: ah! si seulement il était libre de toutes ses paroles et de toute son action! Lui-même déclarait en 1943: « Je crois savoir ce que m'impose de retenue et de discrétion l'habit que je porte. » Lorsque, lisant Michelet, je tombai sur le fameux portrait de Rabelais, un bout de phrase m'arrêta: « Mais sa robe fatale le poursuivait sans doute... » Je pensai à Lionel Groulx. À tort.

Une scène des *Mémoires* replace les choses dans une perspective moins naïve. Le 20 janvier 1931, à Paris, l'abbé traverse nerveusement le quartier latin sous la pluie. Il va faire son premier cours à la Sorbonne. Soudain, il se souvient. Les plis obliques du rideau gris s'entrouvrent, et il voit « l'image d'un galopin de huit à dix ans, promenant ses pieds nus dans les sables mouillés de la baie des Chenaux de Vaudreuil, et — poursuit-il — je me dis: par quel hasard la vie a-t-elle voulu m'amener aujourd'hui aux portes de la première université de France? » Le cours est une réussite. Sitôt de retour à sa chambre d'hôtel, le conférencier écrit à sa mère: « J'ai eu une belle salle. Salle comble. Et un auditoire où il y avait beaucoup de Canadiens, mais la plupart des Français et du meilleur monde. Il paraît que j'ai eu du succès, beaucoup de succès. » Le ton est balzacien. Il redevient tout de suite ecclésiastique: « Je n'ai pas demandé le succès pour moi-même, mais pour la cause qu'on m'a envoyé représenter. » Au fond, c'est peut-être encore Balzac — celui de *L'Envers de l'histoire contemporaine*.

Par quel hasard, se demande l'abbé. Quoi qu'on en dise, le hasard ne fait pas si bien les choses. Mais la société... Dans la société de Lionel Groulx, le clergé est une force, et une force éclairée. Jusqu'à un certain point, il prend bientôt en charge cet enfant exceptionnel: les *Mémoires* rappellent avec reconnaissance combien le Séminaire de Sainte-Thérèse se montre généreux envers la famille Groulx-Émond (à la manière d'autres séminaires à l'égard d'une multitude d'autres familles). De la sorte, le « galopin » accède au baccalauréat. Il devient prêtre à son tour. Attention: ce n'est pas l'intérêt qui lui dicte sa difficile décision, non plus que l'avantage de s'intégrer à une puissante organisation; il s'agit pour lui, nous le savons, de faire un « noble emploi de son existence d'homme ». Il devient donc prêtre. Il a du talent, une activité infatigable et une personnalité rayonnante. Un vieux professeur lui fait un don, et trois anciens condisciples, devenus vicaires, lui destinent des honoraires de messes — « un vrai pactole alors » — qui lui procurent de quoi poursuivre des études en Europe durant trois ans (1906-1909). Le petit abbé rentre ensuite dans son collège avec la superbe de ses trente ans, porteur des diplômes sans lesquels nul ne saurait être réputé maître.

Il reprend avec une fougue et une assurance accrues son rôle d'éveilleur. Un éveilleur fait du bruit. Trop de bruit, trop de nouveautés aussi, au goût de confrères moins actifs, moins pressés, moins instruits et moins brillants que lui. On lui fait la vie dure: petites persécutions, petites misères. La calomnie, il s'en avise un jour, commence de l'envelopper. Il réagit avec décision, intente un procès canonique au maladroit qui s'est découvert et provoque une rétractation. Après cette victoire qu'il pourrait payer cher, il comprend qu'il doit changer de milieu. Il « monte » à Montréal. Qui l'introduit peu après dans le haut enseignement? L'archevêque de qui il relève désormais, Mgr Paul Bruchési. Il a le pied dans l'étrier.

Certes, sa qualité de conférencier à l'Université de Montréal ne le dispense pas de la nécessité de gagner sa vie. Deux ans plus tard, il reçoit une invitation inespérée. Le curé de la grosse paroisse du Mile End, Philippe Perrier, lui offre le vivre et le couvert dans son presbytère, où il l'accueille en lui disant: « Je ne vous demanderai rien... Tout ce que je veux, c'est vous aider à travailler. » Cette confortable hospitalité se prolongera durant près de dix ans. Le Mile End le met en rapports suivis avec les chefs du mouvement nationaliste. Il entre à *L'Action française* et en devient le principal animateur. Quand il en sortira, ce sera pour occuper, non sans mal, un poste régulier à la Faculté des lettres.

Le clergé aura été sa Maison et le groupe nationaliste, sa garde — avec ses vétérans et, bien entendu, ses grognards.

À la garde, Lionel Groulx réserve les coups vraiment durs et l'honneur. Les grandes campagnes, il le sait, reposent sur la masse des conscrits, je veux dire les jeunes. Il reste très près des jeunes, ou plutôt — il y a là autre chose qu'une nuance — très lié avec la jeunesse. Dès les années vingt, il se tourne vers elle et l'appelle à l'action: « La jeunesse, qui n'a pas l'habitude des longs silences, voudra, sans doute, s'expliquer et se défendre. N'ayant jamais abdiqué ma confiance en elle puis-je seulement lui rappeler que la période de la recherche et de l'expectative ne saurait de sa nature indéfiniment durer? » De même au cours des années trente. En 1933, il provoque la création des Jeunes-Canada. En avril de la même année, il parle à l'A.C.J.C.; il raconte: « Tout d'abord, comme il se doit, et comme j'en ai pris l'habitude à l'époque, voici un hommage à la jeunesse.» Six semaines plus tard, il prononce à Québec un discours dans lequel il proclame: «Une jeunesse s'est levée parmi nous...» En 1935, il publie *Orientations*. Dans ce recueil de conférences, précise-t-il, «il y en avait... pour tout le monde: pour l'école primaire, pour les écoles normales, pour l'université, pour «l'esprit estudiantin», surtout pour la jeunesse alors anxieusement aux écoutes». Son discours du 29 juin 1937 au Colisée de Québec est justement fameux. Il y proclame: «Notre avenir nouveau, la jeunesse la plus intelligente, la plus allante, la plus décidée, le porte déjà dans ses yeux. Voilà pourquoi je suis de ceux qui espèrent. Parce qu'il y a Dieu, parce qu'il y a notre histoire, parce qu'il y a la jeunesse, j'espère.» Il résume lui-même: «Une chose me frappe en feuilletant mes spicilèges: la part que j'aurai faite en mes soucis et en mon activité à la jeunesse: passion ancienne de mes années de séminariste et de jeune prêtre.»

Passion ancienne, sans l'ombre d'un doute. Il y a pourtant lieu d'y ajouter les idées du temps, le *Zeitgeist* de l'entre-deux-guerres. Depuis la marche de Mussolini sur Rome, le culte de la jeunesse s'est établi; des pays totalitaires, il gagne le reste du monde. Submergées par la crise et engluées dans leurs combines parlementaires, les démocraties donnent l'impression de sombrer dans la décadence, alors que, notent deux bons observateurs, «dans tous les pays, une jeunesse turbulente, décidée, héroïque, dure, farouche se dresse et est en train de donner à l'Europe, dans le chaos, l'agitation, la violence et l'enthousiasme, une figure nouvelle». De cette jeunesse, l'ecclésiastique a vu les précurseurs, en 1907, à Rome, quand, assistant à un sermon du carême, il est littéralement projeté hors de l'église par des émeutiers de la gauche anticléricale: «Heureusement, se rappelle-t-il, quelques jeunes gens de la jeunesse catholique italienne sont là. Ils rendent coup pour coup.» En France, les Camelots du Roi l'impressionnent. À l'ère des dictateurs, il faut porter en soi, ce qui n'est pas possible au Québec, une longue tradition historique de liberté pour échapper aux séductions du chef autoritaire et de la jeunesse sur laquelle il s'appuie. Les deux observateurs auxquels je viens de faire allusion étaient deux jeunes militants français, René Dupuis et Alexandre Marc; en 1933, ils avaient publié un beau livre, *Jeune Europe*, dans lequel ils professaient: «Quant à nous, précisément parce que nous sommes jeunes, nous ne succombons pas aux prestiges de ce nouveau mythe. Une génération qui monte apporte du nouveau; c'est cela qui fait sa valeur, et non son état civil, son âge «biologique» qui, de tous les privilèges, est le plus fragile.» La jeunesse, d'ailleurs, concluaient-ils, «n'a de valeur que si elle se dépasse en mûrissant». Sagesse dont beaucoup de leurs aînés auraient pu tirer profit.

Fatalement, Lionel Groulx devait voir changer la jeunesse. Il n'a pas aimé ce qu'il a vu. Il juge prétentieuse «la jeunesse d'aujourd'hui». Il ironise: «Que n'a-t-elle point découvert, sans compter l'Amérique?» À ses yeux, «la jeune génération d'aujourd'hui» apparaît «d'esprit américain, *matter of fact*». Il en fait une description sommaire: «Sport, argent, confort, sexualité précoce, liaisons féminines hâtives, amusements faciles, voyages composent sa philosophie de la vie. Elle ne connaît même plus la passion politique; le mythe des chefs est mort.» Il lui tient rigueur de dédaigner les maîtres qu'il a aimés, René Bazin, par exemple, «romancier beaucoup lu de son vivant, familier des éditions aux 100 millièmes [centièmes mille], académicien», puis il généralise encore davantage: «Les jeunes générations se croient très originales dans leurs fureurs d'iconoclastes contre leurs devanciers. » Tout cela assez mêlé. Le mythe des chefs est mort? Bien. Il avait causé des dégâts tout à fait suffisants. René Bazin : outre que chaque génération semble avoir le Bazin qu'elle mérite, le sort des vedettes n'est-il pas de vieillir avec leur public et de disparaître en même temps que lui? C'est même là ce qui distingue les notables des grands. Quant à l'hédonisme, il se produit par vagues : vague de chaleur, vague de froid, c'est connu. Le fond de la question, ou plutôt l'essentiel du drame, n'est pas là ; la génération qui monte déplace rudement celle qui la précède, au moment où elle commence elle-même de se sentir pressée par celle qui la suit. Brutalité, maintenant très atténuée, qui vient du fond des âges : la génération de 1900 l'a aussi pratiquée envers ses aînés.

En réalité, la « jeunesse », abstraction commode dans le cours d'une polémique, devient une notion infiniment plus encombrante qu'utile dès qu'il s'agit d'opérer une analyse. Concrètement, il existe des jeunes et, chez les jeunes, des groupes, des clans même, ou, si l'on veut, des tendances. Vers le milieu des années trente poussaient d'autres jeunes gens, différents de ceux qui se rangeaient sous l'autorité de Lionel Groulx. Celui-ci les a connus : mis en rangs par les mouvements d'action catholique, avec chemises de couleur, insignes, cellules et slogans, et dressés, à coups de formules d'emprunt, contre les nationalismes de style européen, une partie d'entre eux sont devenus hostiles au patriotisme, étrangers à la patrie et, avec le temps, très habiles à se faire un nid dans le nationalisme des autres. Génération perdue? Non : pertes subies par une génération. Il faudrait aussi considérer la masse des jeunes que l'on ne compte presque jamais : celle que les idées n'atteignent guère qu'indirectement et qui suit le courant, menée, ces années-là, vers un pauvre «bonheur d'occasion» ; mais cela dépasserait le cadre du présent commentaire.

Dans la décennie consécutive à la dernière guerre, tandis que les aînés groupés autour de l'écrivain toujours actif, portant bien son âge, mais le portant tout de même, restent d'une qualité très respectable, il serait difficile d'en dire autant du dernier carré de jeunes qui se forme à ses pieds. Ce n'est pas tellement que l'intelligence oblique d'un autre côté: elle se disperse dans plusieurs directions à la fois. Un phénomène curieux se produit à la fin du conflit; les moins de trente ans — mettons, pour n'oublier personne, les moins de quarante: c'est plus prudent, bien que moins sûr — les moins de trente ans, donc, vieillissent, tout d'un coup, de cinq ans.

Tentons une explication. Les Québécois ont beau vivre aux portes des États-Unis et consommer machinalement, sans s'en rendre compte, ce que consomme le reste de l'Amérique, ils ne suivent presque pas l'évolution de la culture américaine — sauf les spécialistes, et encore, dans les limites de leur spécialité: ainsi, un chimiste formé à Berkeley reste volontiers en contact avec son école, mais sans se laisser gagner par la sociologie, la peinture ou les lettres américaines; de même, un peintre québécois peut fort bien subir l'influence de New York, mais dans son domaine, sans être atteint par la littérature d'outre-frontière ni, encore moins, par l'orientation que les sciences de l'homme prennent aux États-Unis. Avant la guerre et même après, beaucoup ont vu — et moqué — les États-Unis à travers les *Scènes de la vie future* de Georges Duhamel. Quand ils publient une chronique américaine, les journaux sérieux se bornent le plus souvent à reproduire celle d'un quotidien français. Les sources culturelles du Québec sont françaises. Les années noires les ont réduites au plus mince filet. Lorsqu'elles se remettent à couler, elles apportent du nouveau: nouveaux auteurs, nouvelle presse, conceptions nouvelles, sentiments nouveaux. L'épreuve a changé les anciens, devenus des survivants. Des noms célèbres hier et des idées hier reçues sortent du conflit accablés de discrédit. C'est ce qui advient aux idées de droite, qui ont jusqu'alors fourni au nationalisme canadien-français son enveloppe conceptuelle. Les voilà terriblement abîmées. Certes, le vieux patriotisme instinctif bronche à peine: il n'est ni de la dernière pluie ni de l'avant-dernier hebdomadaire. Une modification — ou une mode? — idéologique ne saurait l'altérer. Ses manifestations évolueront. Il mettra à jour ses opinions, ses doctrines, voire ses théories. Il fera son profit de formules et d'expériences contemporaines. Il multipliera ses directions de recherche. Il y gagne, l'avenir le dira. Le Québec a vieilli de cinq ans? Oui et bien davantage: de cinq ans et d'une époque; d'une époque qui est proprement une révolution. Un jour, c'était 1940; le lendemain, c'est 1945 et une révolution plus tard.

Plus près de soixante-dix ans que de soixante, Lionel Groulx n'a plus l'âge où l'on peut accepter de vieillir de cinq ans à la fois. Il renoue avec Pierre Gaxotte. Il s'abonne aux *Écrits de Paris*. Échos d'autrefois. Non pas qu'il fuie toute forme d'adaptation au présent: de même qu'il finit par troquer le chapeau romain contre le feutre mou, de même il accueille en leur temps, dans son discours, des expressions qui sont dans l'air et volent, à vrai dire, sur toutes les bouches: « statut particulier, ... États associés »... Il est cependant une matière à laquelle il ne permet pas qu'on touche, et c'est l'histoire telle qu'il l'enseigne depuis trente, quarante et bientôt cinquante ans. Il combat avec une vigueur voisine de la colère les conceptions des «jeunes historiens». Toutefois, il ne rompt pas avec eux, ni eux avec lui. Un sentiment commun d'appartenance à une même famille spirituelle les retient de se séparer.

Dans cette expérience, puisque je peux parler ici d'expérience, il est sans doute possible de trouver une amorce de solution au problème que posent les rapports de Lionel Groulx avec ceux qui, à vingt-cinq, trente ans, émergent de leur propre jeunesse au lendemain de la guerre. Il a été le maître incontesté des années trente et du début des années quarante. À la fin des années quarante, le voici contesté, discuté, et parfois sérieusement. Il a toujours eu des adversaires. La plupart lui viennent des vieux partis discrédités. Il en trouve de nouveaux parmi les vétérans des mouvements d'action catholique. Il en surgit dans la pépinière québécoise de sociologues et d'économistes qui s'initient à leur métier dans une atmosphère de fédéralisme euphorique. Bien qu'il continue d'avoir des disciples inconditionnels, il se forme dans son propre fief de l'histoire une autre école, issue de lui, mais dont il n'aime pas les méthodes, qu'avec Gaxotte il qualifie d'allemandes, et encore moins la logique, et encore beaucoup moins les conclusions. Cependant le schisme, pourrait-on dire plaisamment, ne tourne pas à l'hérésie. Il en va de même dans d'autres domaines que celui de l'histoire. Laurendeau, qui illustrera le journalisme après avoir brillé dans la politique, ne reste pas le parfait élève qui a publié en 1939 le premier cahier de *Nos maîtres de l'heure.* Qu'est-ce qui retient autour du maître des hommes qui mûrissent, se réalisent et, par conséquent, évoluent ? Qu'est-ce qui les tient, malgré la mauvaise humeur que le chanoine manifeste à la tribune, tout en ne lui permettant pas d'aigrir les rapports personnels? C'est qu'en Lionel Groulx, comme dans le nationalisme canadien-français, il y a le fond solide d'un patriotisme qui, en plus d'être amour de la patrie, est soif d'en approfondir la réalité, passion de la servir et volonté de la rendre plus humaine; puis, sur ce roc, une formule, des formules dont il incombe aux générations successives d'améliorer l'efficacité avec l'information et les ressources dont elles disposent. Ceux des jeunes intellectuels que l'assimilation n'a pas entamés continuent à le respecter profondément pour ce qu'il représente d'essentiel, sans toutefois s'interdire de rénover, s'ils le peuvent, une formule qui, comme celles qu'elle a remplacées, ne saurait échapper à l'usure du temps.

Ces jeunes de 1945 ont quarante ans en 1960. Sans l'avoir cherché, ils ont eu sur leur maître leur effet de surprise. Ceux qui les suivent, les adolescents de la décennie soixante, auront sur lui un effet de scandale. Dans ses *Chemins de l'Avenir* (1964), il juge avec sévérité la génération qu'éclabousse la vague de la contre-culture. Sévérité excessive? Il se le demande lui-même. Répondons: il se montre trop dur dans la mesure où il généralise trop vite. Le manque de tenue de cette nouvelle «jeunesse» l'exaspère. On ne peut pas, estime-t-il, «se livrer à la démesure, aux excès de la bête en soi, sans danger pour son équilibre mental». Comme il arrive souvent à propos de Lionel Groulx, un mot de Barrès aide à évaluer la justesse de ses réactions; c'est le suivant: «Ces nobles prêtres ne méprisent pas la nature humaine, *mais enfin* ils la connaissent.» Il n'est donc pas exclu que la société ait à payer assez cher les débordements et les sottises voyantes que dénoncent les *Mémoires* après les *Chemins de l'Avenir*. Par ailleurs, il n'est pas impossible que le désarroi des aînés, même des plus grands, devant les jeunes traduise simplement l'habitude qu'ont les adultes de regarder, selon la pénétrante observation de Ruth Benedict, leur propre passé comme «l'avenir de chaque génération nouvelle». Vue, somme toute, rassurante. Reste à savoir si elle est juste. Car il a pu se passer chez nous quelque chose d'infiniment plus grave qu'un phénomène familier à un spécialiste de l'anthropologie. Encore qu'il soit trop tôt pour la vérifier, une hypothèse se présente, mais si lourde de répercussions de toutes sortes qu'on ne l'envisage pas sans de troublantes interrogations. Lionel Groulx fait état du net recul de la foi chrétienne chez les jeunes. Ceux-ci n'ont pas eu assez de temps et ne disposent pas d'une expérience suffisante pour s'être constitué un système raisonné en face d'un problème aussi complexe; ils ne peuvent que suivre, et en masse, une pente qu'ils n'ont pas aménagée. Toynbee caractérise l'Occident contemporain comme un monde «post-chrétien». Quelque part au cours des quinze années consécutives à la dernière guerre, se pourrait-il que le Québec se fût mis à l'heure de ce monde? Ainsi, une synthèse, chez nous, se serait défaite. Une rupture serait intervenue. Quelque chose serait mort. S'il est né quelque chose, on ignorerait encore ce qui vivra.

Si on l'ignore, c'est peut-être que l'on n'a pas prêté une attention suffisante aux premiers craquements de cette rupture. Pendant sa propre jeunesse, l'écrivain a vu changer le milieu où il est né. «Ma naissance, constate-t-il, me situe à cheval sur deux époques.» Non seulement est-il de cette génération, venue à la conscience vers 1900, qui a subi le charme de Bourassa, créé *Le Nationaliste* et l'A.C.J.C., revendiqué les droits de la francophonie canadienne persécutée, combattu l'impérialisme et découvert la question sociale sous l'influence du marquis de La Tour du Pin et du comte Albert de Mun. Mais, fait plus important encore, il a été frappé par la mutation des genres de vie et, surtout, saisi par la transformation profonde que l'évolution de l'outillage et des moeurs a apportée à l'existence en milieu rural. Enfant, il a connu l'époque où l'énergie était celle des bêtes et des bras, où la ferme suffisait en grande partie, par sa production et son travail, aux besoins de la famille qui s'y groupait. Puis, d'abord modeste, la mécanisation apparaît vers la fin du siècle; elle affectera peu à peu la cellule rurale, la dépouillera de sa quasi-autarcie et occasionnera son ouverture sur les relations de plus en plus nombreuses et complexes qu'entraîne une spécialisation croissante. Première ouverture qu'en accompagne une seconde sur la civilisation urbaine: les loisirs naissent, et, observe l'auteur des *Mémoires*, « la villégiature commence d'envahir mon petit patelin ». Les idées et les sentiments? Leur modification, semble-t-il, retarde sur celle de la civilisation matérielle. La mentalité dont procède la technologie nouvelle ne paraît suivre que de loin la pénétration de celle-ci. Apparence sans doute trompeuse: il se produirait plutôt ceci que, n'étant pas admises par les définisseurs de situations, les nouvelles dispositions psychologiques et morales qui commencent à se développer prennent figure d'anomalies et d'obscurs dangers, assimilés à des importations américaines; d'où, du haut de la chaire de vérité ainsi que dans la bonne presse, ces dénonciations du cinéma, du jazz, des journaux « jaunes », de l'automobile, des modes même les plus innocentes (les cheveux courts de ces dames...), de la désertion du sol, cette dernière, pourtant, conséquence directe du perfectionnement du matériel agricole... Pendant que les Québécois accueillent ainsi les temps nouveaux, l'histoire prend une accélération décisive. André Malraux l'a bien vu: « Jamais l'humanité, lors de la chute de Rome, n'a subi, en une seule génération, une si profonde métamorphose. Dans le domaine de l'esprit comme dans tant d'autres, nous sommes devant une nouvelle civilisation. Non seulement nouvelle en face du XIXe siècle, mais encore en face de toutes celles qui l'ont précédée. »

Lionel Groulx met le monde qui disparaît bien au-dessus de celui qui s'annonce. « Dès mon enfance, révèle-t-il, j'ai aimé, passionnément aimé toutes ces choses qui s'en allaient. » Il dit encore : « Pour reprendre espoir et sérénité devant le débordement d'idées folles où il nous faut vivre, je me réfugie dans le passé »... De son passé, de son enfance, montent des souvenirs idéalisés ; il en fait *Les Rapaillages*, léger recueil de contes d'inspiration campagnarde où les pages émues succèdent aux pages attendries. Le genre, l'accent, l'évocation de faits que l'on dirait anciens par rapport au narrateur, tout nous impose quelque effort pour nous souvenir à notre tour que l'auteur n'a encore que trente-sept ans. Sa carrière est alors suspendue entre Valleyfield et Montréal, où il se fixera dans quelques mois. Les *Mémoires* consacrent dix pages à ce qui est, en somme, une défense de ce petit livre, en présence duquel la critique s'est partagée entre l'enthousiasme et le dédain. Défense d'un ouvrage et, encore plus, d'un mouvement littéraire, le régionalisme. Celui-ci ne manque pas de force : n'illustre-t-il pas la continuité — la « survivance » — et ne s'enracine-t-il pas dans le sol du pays ? Il trahit cependant plus d'une faiblesse : outre qu'il nous incite à prendre nos taupinières pour des montagnes, il propose une forme de patriotisme si facile qu'elle en devient aisément un succédané ; de plus, il offre un refuge — illusoire, mais apprécié — aux esprits qu'essouffle l'évolution du monde contemporain : évolution déjà difficile à suivre et plus difficile encore à maîtriser pour un peuple dépossédé de son destin.

Il convient ici de réfléchir un moment à la tentation passéiste qui gagne périodiquement les Québécois. Elle les obsède encore aujourd'hui. Cette tendance ne leur est pas exclusive. Elle semble commune aux peuples colonisés. M. Jacques Berque l'a remarquée en étudiant l'Égypte contemporaine et, à travers elle, l'Islam. Lorsque l'industrialisation se répand dans les sociétés qui n'ont pas participé à son élaboration, « elle arrive en portant avec elle des conditionnements techniques et bien entendu les rapports sociaux ou de puissance qu'ils véhiculent mais aussi des suggestions culturelles charriées à partir du foyer d'origine ». La collectivité ainsi atteinte peut se livrer à l'imitation servile de ses colonisateurs. Elle peut aussi, de crainte de perdre son identité, dresser devant le progrès technique la digue des coutumes ancestrales. Attitudes aussi dangereuses l'une que l'autre. Il y a donc, conclut Berque, « deux hypothèses de mort : ou bien se confiner dans l'archaïsme, ou bien s'absorber dans la modernité des autres ».

Revenons à Lionel Groulx. En 1915, il prête son talent à une entreprise littéraire pleine de naïveté et non exempte de risques. Pourquoi s'arrêter à cet épisode ? Pour deux raisons : d'abord, parce que le mouvement qu'il met en cause n'est pas isolé et qu'il traverse à l'heure actuelle une phase de recrudescence ; ensuite, parce que, sans jamais renier le régionalisme, l'écrivain en dépassera sans peine les étroites limites. À l'heure des *Rapaillages*, il est, sans le savoir, sur le point de franchir un seuil, celui de la discipline historique. À ce moment, il s'identifie réellement à l'élite intellectuelle, en grande partie cléricale, que fascine le mode de vie rural, alors même que les investissements étrangers, introduits en échange de la possession des richesses naturelles, déclenchent l'exploitation sauvage du territoire et procurent à un prolétariat en croissance accélérée la sécurité relative de l'ergastule. Vingt ans plus tard, au creux de la grande dépression, il insiste sur la liaison qui existe entre « l'économique et le national », proclame que ce qui est opprimé ici, ce n'est pas une classe, mais un peuple et exhorte celui-ci à prendre en main son patrimoine. Et, prononçant ce mot, il lui conserve la plénitude de son sens. Patrimoine, héritage des pères : soit une terre, et les ressources qu'elle renferme, et les productions qui la couvrent et l'eau qui la sillonne, agent d'énergie et de communications, et le matériel qui s'y accumule, tant acquis que construit, et le fonds d'expériences, de méthodes et d'idées qui s'y est constitué, susceptible d'enrichissement. De très haut, il s'élève au-dessus de la conception du « patrimoine » qui réduit ce dernier à des œuvres d'architecture plus ou moins anciennes, à des restes archéologiques, à des dossiers proprement qualifiés d'« inactifs », à des outils qui ne servent plus et à de beaux paysages. Il ne s'agit pas de négliger délibérément ce cadre et ces objets, ornements du patrimoine et témoins de son développement. Il s'agit d'assumer le patrimoine dans son entier : non seulement la part qui en est belle, mais aussi celle qui en est lourde ; non seulement celle qui invite à la fête et au loisir, mais encore celle qui convie à l'effort et à la responsabilité.

Il reste à marquer deux traits de cette figure, non pas dans l'impossible dessein de la compléter, mais dans la vue, plus modeste, de comprendre un peu mieux comment elle s'est imposée à son temps. Ces deux traits sont ceux du combattant et de l'écrivain.

Lionel Groulx est agressif ; exactement : batailleur. Après sa première conférence d'histoire à l'Université de Montréal (1915), il résume : « Bataille gagnée. » Les *Mé-*

moires évoquent l'accueil ménagé par certains à *L'Appel de la race* (1922). À ce propos, l'auteur demande ingénument: «Me sera-t-il permis tout d'abord de régler mes comptes avec une critique parfaitement gratuite?» Ce n'est pas là le seul règlement de comptes qui agrémente son voyage au pays du souvenir. Les portraits, nous le savons, en fournissent des occasions de choix. Du fond de ses «spicilèges», il arrive à l'écrivain d'exhumer, pour les exécuter, des détracteurs dont l'oubli, pourtant, a déjà fait bonne justice. Ainsi, «un monsieur E. K. Brown» le prend à partie en 1929 dans le *Canadian Forum.* L'abbé expédie à la revue une réplique fort raide, qui n'y sera pas insérée. «Il est vrai, explique-t-il, que je l'avais rédigée en français.» L'eût-il faite en anglais ou en espéranto, il est probable qu'elle n'en serait pas moins restée dans les limbes: telles sont les mœurs du journalisme. Mais ce n'est pas fini. Trente-six ans plus tard, écrivant le cinquième volume de ses *Mémoires*, le chanoine y transcrit sa réponse au nommé Brown; il aura rendu le coup.

Le ton qu'il affectionne s'apparente à celui de la droite française, friande du style virulent. C'est aussi, un peu, celui des polémiques de moines, fertiles en exemples de férocité. En 1920, Henri d'Arles, qui est un abbé Beaudé, donne une série de conférences sur «Nos historiens». Il en consacre une à François-Xavier Garneau. Lorsque vient le moment de la prononcer, il envoie une invitation particulière au petit-fils de ce dernier, Hector Garneau, qui l'accepte avec d'autant plus d'empressement qu'il a procuré une édition fort soignée de l'œuvre de l'aïeul. Une fois Hector Garneau installé en bonne et visible place dans la salle bien garnie, le conférencier lui reproche longuement d'avoir rétabli dans le livre du grand-père des passages que le vieil auteur avait supprimés et, crime encore plus grave, d'y avoir ajouté, à titre justificatif, « de copieuses notes puisées dans des historiens libres penseurs, [qui] viennent amplifier et corroborer ces opinions absolument inadmissibles en saine philosophie historique ». C'était proprement clouer au pilori l'imprudent invité. Lionel Groulx apprécie en connaisseur : « Le public s'amusa de cette mercuriale; M. Hector Garneau, point du tout. »

Cinq années passent. L'abbé Groulx inspire à la Société historique de Montréal le projet, remarquablement réalisé, de tenir une « Semaine d'histoire ». Invité à y présenter une communication, un vieil ami devenu ancien ami, le chanoine Émile Chartier, intitule sa conférence « Points de vue en histoire ». Alors que le bureau de la Société s'esquive avec une discrétion suspecte, c'est Lionel Groulx qui accompagne l'orateur à la tribune — pour y voir attaqués sèchement, sans pitié, ses travaux d'histoire. Encore le pilori. Nul ne s'amuse, cette fois, et l'historien moins que personne. « Le coup m'atteint durement », avoue-t-il. L'incident n'en reste pas là. Peu après, *L'Action française*, que l'abbé dirige, reçoit d'Henri d'Arles — encore lui ! — un article qui est un véritable pamphlet contre Chartier; l'auteur y fait même allusion au « strabisme » du conférencier mal avisé (le bouillant universitaire louche, en effet, défaut que tente de dissimuler un verre teinté de son lorgnon). Faut-il laisser passer la violente riposte ? Oui, répond le comité de direction de la revue. Le texte paraît et cause une certaine émotion à l'Archevêché de Montréal. Plus tard, dans une contribution aux *Mémoires* de la Société royale du Canada, Chartier, jouant sur le nom de Beaudé, assimilera les propos d'Henri d'Arles à des « pétarades de baudet ». Il serait facile d'évoquer ici plus d'un texte percutant, plus d'une polémique, plus d'un polémiste :

Olivar Asselin, Jules Fournier, Claude-Henri Grignon, Victor Barbeau, voilà autant de fameux bretteurs. Lionel Groulx en est un autre. Curieuse et lointaine époque, étonnante de pugnacité. Par plusieurs épisodes de sa vie, par divers aspects de son caractère, l'auteur des *Mémoires* s'en révèle bien le fils.

Il l'exprime autant qu'il s'exprime lui-même par son oeuvre d'écrivain. Au fil des années, écrire devient pour lui mieux qu'une habitude et plus qu'un besoin: une espèce de mécanisme lié à sa personne. Lionel Groulx, homme de plume. Sa mère meurt. Il passe seul l'après-midi du 15 octobre 1943, recueilli près du cercueil. Recueilli? À sa manière: d'un trait, il écrit dix grandes pages, qu'il intitule «Ma mère». Il insère ce morceau dans ses *Mémoires*. Comment en est-il venu là? Tout enfant, raconte-t-il, l'éloquence des tribunes politiques l'a enivré; petit écolier, il a eu, dans le genre, des succès paroissiaux; il a même connu cette expérience — que son autobiographie ne nous laisse pas ignorer — de mener auprès de ses camarades une campagne électorale tout à fait typique où le meilleur ne l'emporte pas, parce que le plus beau parleur s'y fait battre par le plus astucieux racoleur de voix. Il admirera toujours la force du verbe. Il a beau s'en défendre, reconnaître (en théorie) «l'inanité des discours adressés au public», les grands orateurs le subjuguent: à travers recueils et biographies, Montalembert et Lacordaire; à Paris, salle Wagram, Léon Daudet, le «plus fougueux tribun que j'aurai entendu dans ma vie»; de plus près, Armand La Vergne, qui l'émeut, et Bourassa, surtout Bourassa, qui l'éblouit. Lui-même adore parler. On a accoutumé de qualifier son style d'oratoire. Non sans raison: la plupart de ses livres, y compris la grande majorité de ses ouvrages d'histoire, ont à l'origine été livrés au public sous forme de conférences, et leur auteur affectionnait d'y mettre, avec le plus grand naturel, de ces beaux mouvements qu'accueillent d'honnêtes salves d'applaudissements. On n'a cependant pas assez remarqué que son éloquence est une éloquence écrite. Dire de ses discours, et même de ses sermons, qu'ils sentent l'huile serait sans doute assez juste, mais assurément très banal. Ce sont, à la vérité, des textes oratoires. Donc, des textes. Lionel Groulx parle, comment dire? par pages. Sa «diction» est d'un écrivain.

Écrivain, il veut l'être dès le collège. C'est l'objectif que visent les exercices qu'il s'impose et parmi ceux-ci, comme le voulait alors une innocente tradition, des pastiches de *Télémaque* (il aimera moins Fénelon après avoir pris connaissance de ce que M. Gaxotte pense de lui). Plus tard, il étudie méthodiquement le beau style dans les préceptes d'Albalat, puis dans *L'Art de la prose* de Lanson. Cet art en vient à lui paraître «supérieur à celui de la parole». Il va le pratiquer abondamment. Trop? Il s'en accuse lui-même: sans beaucoup de conviction, faut-il croire, puisque, non content d'écrire sans relâche jusqu'à la fin de son existence, il prend toutes ses dispositions pour qu'au-delà de la tombe ses *Mémoires* apportent de nouveau son nom en librairie. Il ne cesse jamais d'écrire. «Cette pratique, confie-t-il, je m'y adonne même pendant la nuit. J'ai toujours, près de mon lit, un crayon ou un stylo, des pages blanches. Un sujet quelconque vient-il à m'assiéger, m'obséder? J'allume ma lampe, j'écris... Ces pensées cueillies au vol vont ensuite, au fil des jours, s'engraisser, s'enrichir de toutes mes lectures, de celles-là même apparemment les plus éloignées du sujet.» Ainsi, les «matériaux» s'accumulent. Puis, voici que sonne «l'heure de l'architecte». Le moment approche-t-il de livrer le texte?

La course contre l'échéance est déjà gagnée: «Je ne m'en fais point, assure Lionel Groulx. Dans un autre éclair, pendant le jour, parfois pendant la nuit — car, avec le Père Gratry, dans ses *Sources*, je pense, je crois au travail mystérieux du subconscient aux heures du sommeil —, le plan, l'ordonnance me saute à l'esprit. Je n'ai plus qu'à écrire.» Il écrit.

La polémique, la conférence, le discours écrit, l'écrit éloquent, tout cela se tourne et tourne son auteur vers l'extérieur. On ne parle pas pour ses seules oreilles et, l'on a beau dire, on n'écrit pas davantage pour soi. Parler, écrire et enseigner supposent un public. Entre Lionel Groulx et son public s'établit un rapide courant d'échanges. L'écrivain répond à une demande considérable. Les *Mémoires* abondent en allusions aux sollicitations dont leur auteur a été l'objet. Sans cesse, il se voit pressé d'écrire et de parler. Il donne les *Directives* et les *Orientations* que réclame la génération dont il est le maître à penser. Maître à penser? Malgré l'éminente dignité qu'elle comporte, la désignation semble quelque peu impropre: ce ne sont pas seulement des idées que ses disciples attendent de lui, mais un exemple, un modèle, une impulsion et jusqu'à un programme. À leurs yeux, il prend encore plus figure de chef que de maître. Même lorsqu'il s'exprime non plus en historien, mais en tant qu'historien, il veut enseigner non pas tant à comprendre, non pas tant à penser qu'à vivre. Pour lui, l'histoire n'est pas, comme pour les Grecs, recherche. Ce n'est pas par hasard qu'il revient avec insistance à la célèbre formule de Cicéron: «l'histoire, maîtresse de vie». Le maître, il le proclame trois fois sur la couverture d'un livre, c'est le Passé: historien, il en veut être l'interprète et, homme d'action, le disciple attentif.

Tel qu'en ses *Mémoires*, voilà l'homme. Plus justement et avec plus de modestie: telle qu'elle semble se dégager de son autobiographie, voilà l'esquisse du personnage. L'homme dont le personnage est le reflet reste en bien des parties noyé d'ombre. Il est arrivé, je l'avoue, qu'en tâchant de pénétrer le texte, donc en essayant de distinguer ce qui se profile vaguement derrière l'enveloppe translucide des mots, j'aie cru percevoir l'intention sous le geste, parfois la tentation derrière l'action, plus souvent la pente sous le mouvement. Illusion née d'avoir, comme une foule de ses contemporains, pratiqué l'homme lui-même, connu l'accent de ses paroles, entendu en conversation l'ébauche de ses *Mémoires*, vu et non seulement écouté parler l'interlocuteur et l'orateur, observé, enfin, ce regard qui pouvait pétiller de malice, ou se fermer, impénétrable, ou demeurer étonnamment froid? Illusion née d'avoir fréquenté quelques-uns — je dis bien quelques-uns — des groupes qu'il a animés de son autorité, participé à certains des événements que les *Mémoires* rapportent et vérifié dans le contexte de ses autres livres des idées prolongées dans celui-là? Illusion, sans aucun doute, mais non pas pure illusion: des bribes de réalité auraient pu s'y trouver mêlées. J'ai cependant négligé de m'aventurer dans ces couloirs obscurs.

C'est qu'une autre voie s'ouvre, plus large et plus sûre: celle qui passe par l'époque, le milieu et la société où s'écoula la longue vie de Lionel Groulx. Cette personnalité qui est une oeuvre et cette vie qui est un chef-d'oeuvre, leur place n'est pas plus dans un laboratoire que dans un musée; elle est dans l'édifice et dans le paysage, dans l'époque et le milieu où elles se sont faites.

Les traits qui ressortent de l'autobiographie composent une figure cohérente. Figure de maître et de directeur spirituel, mais véritablement et par-dessus tout figure de chef, elle a pu devenir telle parce que l'époque le suggère, ici comme ailleurs, ici comme partout : partout, c'est-à-dire dans les pays totalitaires, où la jeunesse, en quête d'héroïsme et de héros, porte sur le pavois un maître qui lui enseigne et lui commande à la fois ; partout, et encore dans les démocraties qui, la guerre venant, se couronneront de leaders prestigieux, présents au rendez-vous de l'histoire : Roosevelt, Churchill, de Gaulle... Au Québec, ce chef est issu de la proche campagne et du clergé, non toutefois du clergé rural, mais du clergé enseignant et en soutane noire. Le fait n'a rien de surprenant. Voilà un corps trop rapidement qualifié de dominateur, alors qu'il n'est que dominant, et dominant parce que, en même temps que la responsabilité dont elle fait, à tous les sens du terme, l'économie, la société canadienne-française lui abandonne une fonction que la nation assume dans la plupart des pays libres. Même divisé, loyaliste en haut, patriote en bas — cela en très gros : il faudrait ici plus que des nuances —, ce clergé se révèle plus qu'aucun autre corps en mesure de soutenir les sujets d'élite que le peuple lui fournit ; de tous les ordres, c'est probablement celui dont les assises populaires sont les plus larges et sûrement celui dont les idéaux sont les plus élevés. Le talent de Lionel Groulx peut s'y développer ; il le peut, ce qui importe aussi, dans une relative sécurité.

Un chef, même un chef d'école, doit être combatif, sinon l'élimination le guette ; user de tous ses moyens : pour celui-ci, l'enseignement, la parole et la plume ; ne pas perdre contact avec ses troupes : « la génération des vivants » ; être homme de foi, de passion et de volonté. Un chef ne s'efface pas, d'où l'amour-propre que tous observent chez Lionel Groulx, même ses admirateurs ; trait accentué par l'attitude qu'il adopte, écrivain, envers son œuvre : il la défend jusqu'au dernier jour et aime réentendre, tout au long de ses *Mémoires*, le concert d'éloges qu'il écoute comme un disque favori, estimant « dissonante » — c'est le mot qu'il emploie — la critique qui vient troubler l'harmonie des belles appréciations. Si ses jugements valent par leur force plus que par leur pénétration ; s'il se borne à peser des caractères plutôt que de s'appliquer à comprendre des hommes dans la conjoncture qui les conditionne ; si ses unités de mesure se réduisent le plus souvent à la solidité de l'intelligence et à la qualité de la volonté ; si, en somme, il jauge des facultés plutôt que des êtres pris dans les complexités de leur vie, c'est qu'un chef n'a que faire, au fond, des nuances trop subtiles comme des analyses trop fines et qu'il est trop pressé pour s'y arrêter.

Chez Lionel Groulx, tous ces traits se renforcent les uns par les autres : éminence du prêtre, conviction du fidèle, fierté de l'écrivain, passion du combattant, amour quelque peu abstrait, mais profond autant que volontaire, de son « petit peuple ». Petit peuple : l'expression revient sans cesse dans ses propos. Elle ne désigne pas les humbles par opposition aux superbes, elle embrasse toute une communauté nationale, peu nombreuse relativement à celles qui l'environnent. Que peut-on y voir ? De l'affection, sans aucun doute ; de l'inquiétude aussi : autrement, l'écrivain n'aurait pas suspendu ses certitudes à tant de professions d'espérance ; l'obscure conscience d'un milieu rétréci par l'histoire, depuis l'empire de *Notre grande aventure* jusqu'à la province de la *Confédération canadienne* ; peut-être, enfin, un sentiment de paternité spirituelle envers la modeste collectivité dont une jeunesse rêva de lui confier le destin.

II

LA PART DU MONSTRE AU FROID VISAGE

> Ce caractère et ce talent demandaient une tribune publique et une patrie libre. Les circonstances le détournèrent ; ce fut au profit de l'histoire, au profit et au détriment de l'historien.
>
> Taine

Michelet fait remonter l'éveil de sa vocation au goût qu'il ressentait déjà, tout enfant, pour l'histoire, alors qu'il écoutait durant des heures entières les récits de la *Bibliothèque bleue*, venue du moyen âge en passant par le XVIe siècle, « livre héréditaire, usé, noirci pour avoir été lu, relu tant de fois, en famille, à la lueur tremblante de la petite lampe suspendue sous le manteau de la haute cheminée, dans les longues nuits d'hiver ». Rien de tel chez Lionel Groulx. À cet âge, il fait des discours et joue aux élections. Sa véritable vocation, son vrai choix, opéré en toute conscience et décidé après une épuisante période de réflexion, a été d'enseigner et de diriger les jeunes gens qui forment l'élite de son « petit peuple » et en portent l'avenir. Lorsqu'il prend la qualité d'historien, c'est par obédience. À cet égard, ses *Mémoires* sont très précis: «Je n'ai pas choisi mon métier d'historien; mes supérieurs ecclésiastiques me l'ont imposé.» À compter de 1915, il s'acquittera d'un «devoir d'état que, répète-t-il, je n'avais pas choisi: celui que m'avaient imposé mes chefs ecclésiastiques». La discipline qu'il adopte ainsi, il l'illustre cependant au point que ses contemporains, comme leurs grands-pères l'avaient fait pour Garneau, lui décernent le titre d'historien national.

Comment cela est-il arrivé? La tentation est forte d'invoquer ici le hasard. Lionel Groulx, quant à lui, parle à ce propos des «jeux secrets et combien miséricordieux de la Providence». Peut-être aussi n'est-il pas impossible de discerner, dans la direction que prend soudain la carrière de cet homme de trente-sept ans, le fil d'une logique qui tient tant à sa propre personnalité qu'à certains des caractères de la société dans laquelle il fait son chemin. Logique qui se retrouvera dans la manière tout à fait particulière dont il remplira la fonction à laquelle il accède si brusquement. Dans les dernières années de sa vie, avec plus d'assurance que de sûreté, il se représente tout de suite saisi par l'histoire, «ce monstre au froid visage, capable de fasciner, mais incapable de jamais lâcher sa proie». Cet être fantastique et exigeant, cet ogre distingué, on dirait qu'il se sent, en réalité, moins impuissant à lui échapper que résolu à lui faire sa part. La meilleure? C'est à voir.

Tout commence, comme il semble fatal dans cette existence, par un certain écrit. Curieusement, bien que soustrait à la publication, cet écrit fait du bruit. En 1905, jeune professeur de rhétorique, Lionel Groulx demande à enseigner l'histoire du Canada et entreprend, à l'intention de ses élèves, de rédiger un manuel. L'ouvrage prend les proportions de trois « cahiers de 160 pages chacun ». Pourquoi avoir sollicité cette charge supplémentaire? En 1952, dans une allocution qui remue des souvenirs déjà bien lointains, l'écrivain évoque, d'une part, la négligence dont souffre l'histoire nationale, l'absence en cette matière de manuels destinés au degré secondaire et, d'autre part, « le réveil nationaliste dans la province, l'irruption de Bourassa dans notre vie politique et nationale, la fondation de la Ligue nationaliste et de son vivant journal aux mains d'Olivar Asselin, la fondation aussi en 1903 et 1904, de l'Association catholique de la jeunesse canadienne-française... et, sans doute enfin et pour une grande part, la participation très active de la jeunesse de Valleyfield à la jeune A.C.J.C. ». C'est déjà la vague nationaliste qui porte le nouveau professeur d'histoire et le futur historien.

Voici que, le 3 septembre 1913, celui-ci tombe, en ouvrant *Le Devoir*, sur un éditorial dans lequel Bourassa reproche avec vivacité aux collèges et aux universités l'extrême pauvreté de leurs cours d'histoire de l'Angleterre et du Canada. Lionel Groulx a maintenant l'autorité d'un enseignant distingué, sanctionnée par des collègues qui ne l'aiment pas, le prestige d'un long séjour d'études en Europe et la notoriété naissante d'un auteur. Il laisse passer un mois, puis, d'un geste naturel, prend la plume. Bien que juste dans l'ensemble, écrit-il au directeur du *Devoir*, l'article du 3 septembre ne saurait s'appliquer au Collège de Valleyfield, où le titulaire de la classe de rhétorique a fait pour ses élèves un manuel d'histoire du Canada. Le journal publie cette communication. La réaction ne se fait pas attendre. Il faut livrer cet ouvrage au public, représente-t-on dans plusieurs maisons d'éducation. L'abbé en serait bien aise, seulement, il voudrait d'abord travailler quelque temps aux Archives publiques du Canada afin d'« étoffer » son texte. Il semble fort pressé, et tout le monde avec lui : en pleine année scolaire, il obtient un congé de deux mois. Arrivé aux Archives en toute innocence, il ne peut que constater l'impossibilité de la mission qu'il s'est assignée. La masse des pièces documentaires l'écrase de son énormité inattendue. Il doit rentrer à Valleyfield avec son « rêve avorté ». Détail caractéristique, à Ottawa, il n'a pas consacré tout son temps à ses recherches ; il a pris la parole dans des cercles de jeunesse et lié connaissance avec le futur cardinal Villeneuve.

En 1915, après l'aigre épisode du procès canonique, il passe à Montréal, où son avenir se présente comme très incertain. Il prêche des retraites. Un jour, il est convoqué à l'Archevêché. L'Université de Montréal, que Mgr Bruchési songe à réorganiser, vient de perdre son professeur de lettres, Français que la mobilisation rappelle dans son pays. Il faut « combler le vide », dit le prélat, qui ajoute : « M. [Émile] Chartier va nous faire dix conférences sur la littérature ; et vous, M. Groulx, vous allez me faire dix conférences sur l'histoire du Canada. » La scène ne déparerait pas un impromptu de Molière. Le premier conférencier désigné est un excellent helléniste, très remarquable grammairien et presque aussi peu littéraire que possible ; le second a commis un manuel que lui-même n'estime pas publiable. Lionel Groulx proteste : « Dix conférences d'histoire ! Pardonnez, Monseigneur, mais je m'en sens tout à fait incapable. Le peu de connaissance que j'ai du métier m'oblige forcément à me récuser. Je puis vous faire cinq conférences. » Bon prince, l'archevêque consent à cinq, fixe incontinent la date de la première et conclut : « J'irai la présider. »

L'abbé a six ou sept semaines pour s'exécuter. Il choisit de parler de « Nos luttes constitutionnelles ». Sujet chaud : ce débutant est combatif. Il adopte un genre qui exige un gros travail de rédaction : la grande conférence d'apparat, morceau destiné au public amateur de style soutenu, voire noble par endroits, véhément à l'occasion et agrémenté de pointes touchant des problèmes d'actualité. *Le Devoir* fait sa publicité et la fait bien. Douze cents auditeurs se pressent à son premier cours. Il devient immédiatement une vedette. Dans une interview, Omer Héroux lui demande, non sans intention, s'il poursuivra régulièrement son enseignement universitaire dans les années qui viennent : « Oh !, réplique le professeur, qui pense aussi à l'avenir, là-dessus je n'ai pas qualité officielle pour vous répondre. Le public pourra peut-être en décider... » La notoriété, cependant, n'apporte guère à dîner. Par bonheur, vers le même temps, l'Université lui propose des cours à l'École des hautes études commerciales. Outre l'histoire universelle et l'histoire du Canada, il se voit chargé, durant cinq ans, d'y professer l'histoire du commerce. Commentaire des *Mémoires* : « Dès lors, et depuis mon enseignement à Valleyfield, la notion d'histoire que je porte en ma tête est celle de l'histoire intégrale, celle qui embrasse les divers aspects d'un peuple et d'une société. Et dans la texture du passé canadien-français, il ne m'est pas inutile de mieux apercevoir le rôle de l'économique. »

Encore que tout succès comporte sa part d'organisation, ce serait une erreur que de voir en Lionel Groulx une vedette fabriquée. Il est plein de talent. Avant de percer, il a travaillé ; arrivé, il travaille toujours avec acharnement. Il soutient un énorme effort de préparation. Aussi bien, il le reconnaît le premier, il n'est pas prêt à sa tâche. Il a eu beau bénéficier de trois années d'étude en

Europe, il en a passé les deux premières à l'Université dominicaine de la Minerve, où, même s'il y a obtenu un doctorat en philosophie, il estime que l'enseignement « traînait le pied » et que la déesse, assez fanée, ne portait plus « qu'un casque dépoli ». En 1908, il s'inscrit à l'Université de Fribourg. Pourquoi pas à Paris? Les dates le disent; 1907, 1908: le combisme sévit dans toute son incroyable mesquinerie. L'abbé fait de brefs séjours à Paris pendant ses vacances. Il garde un souvenir tenace des quolibets et des croassements qui ont poursuivi dans les rues sa soutane. Même la Sorbonne ne fait pas le meilleur accueil aux « calotins ». Resterait l'Institut catholique. Les prêtres québécois se méfient de leurs confrères français, que tente le modernisme. Fribourg, au contraire, a « la réputation d'un centre conservateur, orthodoxe ». Que va-t-il y faire? Ses *Mémoires* répondent sans hésiter: « Étudier la littérature. » La littérature, et non l'histoire. Un homme le marque ou du moins lui inspire une vive admiration, son professeur principal, d'un an son cadet, pourtant, le Français Pierre-Maurice Masson, sous la direction de qui il médite de préparer une thèse de doctorat ès lettres sur le parler franco-canadien. Il subit la séduction de son « élégante facilité » et de sa « fine ironie, excellemment faite pour retenir l'attention » ; ce n'est pas lui, par exemple, qui pratiquerait « l'histoire ou la critique littéraire à la Lanson, c'est-à-dire à l'allemande: histoire de fiches plus que d'esprit » ! L'étudiant a aussi d'autres professeurs, dont un médiéviste, le P. Mandonnet, de qui il assimile les leçons à « un excellent cours de méthodologie historique » ; ce maître, veut-il bien préciser, lui apprend « la rigueur de la fameuse discipline, et en particulier, l'art de traiter un document ». Enseignement plutôt théorique, peut-on croire, puisque l'abbé ne s'en trouvera pas moins désarmé, cinq ans plus tard, devant les séries de pièces des Archives publiques du Canada, les imaginant propres à lui procurer, en quelques semaines, de quoi nourrir un ouvrage sur l'histoire générale d'un pays. Il apprendra.

Il apprend seul. Il avoue, nous le savons, à son supérieur ecclésiastique son peu de connaissance « du métier ». Lorsqu'il se rappelle le moment où il est créé historien, il répète : « Venu tard à la sévère discipline, j'aurai beaucoup de temps à rattraper, et toute une technique à me mettre en tête, sans l'aide de personne, nulle école n'existant autour de moi qui pût m'enseigner mon métier. » Il a recours aux livres. Il « pioche » — suivant sa propre expression — Langlois et Seignobos, qu'il n'apprécie guère, et *Le Travail scientifique* du P. Leopold Fonck — dans son adaptation française, puisqu'il s'agit d'un traité écrit en... allemand. Puis il lit les grands modèles : Thucydide, Tite-Live, Salluste, Tacite. Le reste est plus mêlé : Godefroy Kurth « presque en entier » ; « un coup d'œil à Augustin Thierry » ; Fustel de Coulanges, parce qu'il était « regardé en ce temps-là comme un maître parmi les maîtres » ; Guizot, point aussi « méprisable qu'on veut le faire croire » ; Taine qui l'« intéresse ». Ses préférences vont à Pierre de La Gorce, en qui il salue « l'aisance française, la plus parfaite alliance en histoire de la science et de l'art ». Il aimerait bien Louis Madelin, si celui-ci écrivait mieux. Michelet ? Par bribes : il le trouve « parfois déclamatoire et lyrique ». Il ne mentionne pas le *Discours sur l'histoire universelle*, et l'on s'en étonne, puisqu'il connaît Bossuet. Comment est-il parvenu à lire ces ouvrages tout en écrivant ses conférences ? Précisément, répondent ses *Mémoires*, il les a lus en écrivant. « Ma recette est toute simple », explique-t-il : avant une séance de rédaction, il a toujours soin de se « mettre le cerveau en forme par un bout de lecture ». L'exercice peut durer un quart d'heure et souvent moins, « jusqu'à ces heureux moments où parfois le démon intérieur vous met du feu aux tempes et vous pousse à saisir la plume».

Il y aurait beaucoup à dire des préférences de Lionel Groulx. Et d'abord, de ses dédains. Ce Lanson qu'il expédie avec une prestesse vraiment remarquable, ne devrait-il pas avoir presque tout pour séduire un historien, lui qui — Lucien Febvre le signale avec grande justesse — «tenta si vigoureusement de rapprocher l'histoire littéraire et l'histoire» et voulut voir dans les œuvres littéraires plus que des «textes»: des produits d'une société articulée à une époque? Ce Michelet, dont il se défend explicitement d'être le disciple, et qu'il n'eût certes pas été question d'imiter, n'a-t-il pas eu des intuitions géniales, dépassant, lui aussi, lui d'abord, les textes, je veux dire les pénétrant et les traversant de manière à découvrir, au-delà, des réalités vivantes? N'est-il pas curieux que l'écrivain l'écarte pour des raisons que l'on comprend très bien chez Seignobos, tout en écartant Seignobos pour des motifs qu'il aurait pu très bien puiser chez Michelet? Passons sur les classiques. Il est vrai qu'une lecture actuelle de Thucydide pourrait être du plus grand profit à l'historien, notamment à l'historien québécois, pour peu qu'il voulût s'appliquer à considérer froidement les rapports entre grandes puissances et cités subordonnées, rassembleurs et rassemblés, fédérants et fédérés, vainqueurs et vaincus. Les classiques, dans l'énumération de Lionel Groulx, apparaissent visiblement comme modèles de style. Passons sur les silences et en particulier sur celui qui enveloppe la puissante équipe de travailleurs qui se groupe et se renouvelle autour de la *Revue historique*. On échappe mal à l'impression que, dans plus d'un cas, les sentiments d'admiration qu'exprime l'écrivain ont quelque chose de convenu: c'est assez net en ce qui concerne Fustel de Coulanges, assez perceptible à l'égard de Taine, de qui les *Essais de critique et d'histoire*, pour ne pas parler des *Origines*, occupent pourtant, dans l'élaboration de l'historiographie française, une position d'importance à laquelle il aurait pu être sensible. Rien de conventionnel, toutefois, dans l'éloge réservé à Pierre de La Gorce: c'est que Lionel Groulx est ébloui par «l'aisance française» de celui-là, comme il l'a été par les cours de Pierre-Maurice Masson, «vrai type d'intellectuel français», comme il le sera bientôt par les conférences de Pierre Gaxotte, «modèle de beau langage».

Les années se succèdent, lourdes de travail: 1915, 1916, 1917... L'écrivain prononce régulièrement ses cinq grandes conférences à l'Université de Montréal. Toujours sur des sujets brûlants: après «Nos luttes constitutionnelles» viennent «Les Événements de 1837-1838», puis «Les Origines de la Confédération canadienne». Les auditoires restent fidèles et deviennent vibrants. «Je n'ai pas d'étudiants, j'ai un public», précise l'auteur des *Mémoires* en racontant ses débuts universitaires. La Faculté à laquelle il se trouve attaché est alors «inorganique» et dépourvue de ressources financières; elle n'existe, à vrai dire, que «sur papier», n'offrant d'enseignement organisé que le cours de littérature, dont le titulaire, Français (naturellement), bénéficie d'un traitement assuré par Saint-Sulpice, lui-même peuplé de prêtres français. Petite université coloniale d'une incroyable, d'une inconcevable pauvreté. Il ne faut pas se fier au calendrier, le vingtième siècle n'est pas né.

Jusqu'en 1917, Lionel Groulx semble accaparé par ses conférences publiques, qu'il prépare soit à la Bibliothèque Saint-Sulpice, soit à la bibliothèque de l'École normale Jacques-Cartier, où l'érudit abbé Hospice-Anthelme Verreau a laissé après lui une collection vieillissante, mais solide d'ouvrages d'histoire, soit enfin, pendant l'été, aux Archives publiques du Canada. Il l'est aussi par son activité à l'École des hautes études commerciales qui, outre son enseignement ordinaire, lui confie en 1916 une tournée de recrutement en province. Cette année-là, il publie ses *Rapaillages*, mais nous savons qu'il a écrit ces contes l'année précédente; il donne à Ottawa, sur «L'Éducation du patriotisme», une conférence qu'il répète à Trois-Rivières en 1917. En 1917, il se répand davantage: articles de revue, conférence à son Vaudreuil natal sur «La Question ontarienne», brochure sur *L'Histoire acadienne*, participation à un «Hommage à Lafontaine». Il entre à *L'Action française* et va loger au Mile End. Il prend le rythme qu'il tiendra tout le reste de sa vie. Le cercle de ses amis se raffermit, celui de son influence s'étend. Un courant d'opinion le soutient, celui qui passe par *Le Devoir*. Il en aura besoin.

On ne bouscule pas impunément les idées reçues au sujet de la Conquête, des Patriotes de '37 ou des Pères de la Confédération; on n'anime pas des campagnes, comme il le fait dans *L'Action française* et dans des interventions publiques de plus en plus fréquentes, contre le loyalisme, l'impérialisme, l'unilinguisme fédéral, les politiciens du jour, de même que leurs géniteurs, ceux d'avant-hier et d'hier; on n'évoque pas l'indépendance économique et politique du Québec sans heurter des convictions, déranger des intérêts, réveiller des peurs et provoquer de l'animadversion. Surtout, nul ne brille sans offusquer la médiocrité. La médiocrité est patiente, elle est habile, elle est puissante, elle est partout. Elle commande. Elle attend son heure, qui se présente toujours. En 1926, ayant quitté le Mile End, l'écrivain «prend maison». Il demande à l'Université un «rajustement d'honoraires». Les administrateurs de l'établissement y voient l'occasion de le discipliner. Ils font traîner l'affaire en longueur. Puis ils exigent qu'il s'engage par écrit « 1° à prêcher à [ses] étudiants la loyauté à la constitution du Canada; 2° à ne rien dire ni rien écrire qui puisse blesser les légitimes susceptibilités de nos compatriotes anglo-canadiens ». Ils mettent du temps à comprendre que Groulx est devenu intouchable. Ils plient lentement — au bout d'un an —, mais sûrement, devant la menace d'une démission retentissante et d'une explication dans les pages du *Devoir*. Le professeur obtient son traitement et conserve ses mauvais souvenirs; quant à l'Université, elle se verra rappeler en public, et plus d'une fois, la sotte mesquinerie de ses dirigeants, à la grande indignation des disciples de l'abbé.

Il n'est pas possible d'être soutenu par un courant d'opinion sans emprunter, en un sens, son allure. Les amis de l'historien le poussent « vers l'étude du Régime britannique » ; l'important, lui représentent-ils, c'est de connaître l'évolution du Canada français depuis 1760 afin « d'y ressaisir la ligne de notre destinée ». Il semble bien en convenir. Très tôt, néanmoins, il a son plan. Dès 1917, il en dévoile les grandes lignes: consacrer dix ans, c'est-à-dire dix séries de conférences, à l'examen systématique du régime britannique; mettre « le même temps » à étudier le régime français; puis, de ce matériel, tirer « une dizaine de gros volumes, dont cinq pour chacun des régimes ». Quinze ans plus tard, le projet n'a pas varié dans son esprit. En 1933, il confie à un reporter du quotidien *Le Canada* que les travaux d'histoire qui jalonnent sa carrière « pourraient bien faire penser aux pierres d'attente » d'une grande construction: « peut-être dix volumes, cinq pour chacun des Régimes, le français et l'anglais ».

L'œuvre entrevue procède de ce qu'il appelle: « ma conception de l'Histoire ». Celle-ci, il l'expose, dès 1918, dans un article de *L'Action française* que cite d'abord *Le Devoir*, que reproduit *Notre maître, le passé* (première série) et dont les *Mémoires* donnent un extrait. L'histoire, professe-t-il, « c'est une science pratique qui prétend à la conduite de la vie, ...le catéchisme des croyances et de la morale patriotiques ». Il explique:

> Par elle, les vertus et les forces des vivants s'augmentent à chaque génération des forces et des vertus des morts. Sans l'histoire, nous ne garderions dans le mystère de nos nerfs et de nos âmes que de vagues tendances, que des vestiges presque informes de la vie et des héroïsmes anciens. Là s'arrêterait la transmission parcimonieuse du sang et ainsi s'anéantiraient peu à peu tant d'efforts séculaires pour amener jusqu'à nous l'âme enrichie des aïeux. Mais voici que vient l'histoire, doctrine et maîtresse vivantes, passé et tradition recueillis et condensés. Tout le butin glorieux qu'elle a glané le long des routes du passé, elle l'offre à nos intelligences et elle nous fait entrer en possession de notre patrimoine spirituel. À la transmission du sang va maintenant s'ajouter la transmission de l'esprit.

Propos de débutant enthousiaste, mais qui a quand même quarante ans; près de quarante ans plus tard, le vieil homme les relit d'un œil critique et y voit une dissertation « un peu diffuse ». (Avait-il lu des pages de Barrès avant d'écrire ce morceau?) Il assignerait maintenant à l'histoire, accorde-t-il, « un rôle plus désintéressé, plus dégagé ». Il ne lui reconnaîtrait plus pour fin « d'orienter ou de diriger la vie des peuples ». Il affirmerait cependant « qu'une fois écrite, l'histoire, même la plus objective et la moins engagée, ne saurait ignorer le dynamisme qu'elle porte en soi, les impulsions où peuvent entraîner son magistère et la leçon de ses expériences ». Voilà, résume-t-il, son évolution en tant qu'historien, « si évolution il y eut ».

« Si évolution il y eut » : la restriction est d'importance, mais elle n'a rien d'excessif. En 1925, alors que l'écrivain approche de la cinquantaine, ses vues se sont si peu modifiées que, dans une conférence prononcée au cours de la « Semaine d'histoire », il reprend presque dans les mêmes termes des considérations empruntées à l'article de 1918. En 1957, il déclare encore, au seuil de *Notre grande aventure* :

> Dirais-je enfin qu'en réunissant ces pages éparses, et tout en respectant l'objectivité historique, j'ai songé quelque peu à mes petits compatriotes, les jeunes Canadiens français ? Ils cherchent des héros. Et ils les cherchent souvent en de pitoyables contrefaçons empruntées à l'étranger. J'ai cru que cette histoire où des hommes de leur race cédant, sans doute, à des impératifs économiques et politiques, mais aussi aux sortilèges d'une nature exaltante et à la volonté de faire plus grand qu'eux-mêmes, j'ai cru, dis-je, que ces magnifiques exemplaires d'humanité pourraient peut-être réapprendre à la jeunesse de chez nous, la véritable notion de l'héroïsme et le goût des grands et beaux risques.

C'est bien, aux deux extrémités de cette carrière, la même pensée.

Malgré sa simplicité apparente, la conception que Lionel Groulx se fait de l'histoire du Canada français ne se laisse pas aisément renfermer dans un résumé. Le conférencier de 1915 à qui ses supérieurs ont « imposé » de parler d'histoire s'est mis sérieusement à l'œuvre, et sans tarder ; il a fait des lectures, nous le savons, et il a vite appris à pratiquer les archives moins naïvement que lors de sa téméraire expédition de 1913 ; surtout, il est cultivé, travailleur, très doué, et il ambitionne de réussir. Derrière son style drapé et son éloquence quelquefois escarpée, il y a plus de finesse et de subtilité qu'un abrégé forcément simplificateur ne peut le laisser pressentir, même lorsque l'écrivain formule lui-même sa propre synthèse.

L'objet d'abord. L'auteur en donne « le loyal avertissement » à la première page de son *Histoire du Canada français*, dont le titre est d'ailleurs d'une clarté suffisante : tout en s'appliquant à « y rattacher l'histoire du Canada tout entier », il entend bien s'en tenir « surtout à l'Histoire du Canada français ». Une énorme difficulté surgit tout de suite. Cette histoire, il la divise « en deux époques : l'époque coloniale, l'époque de l'indépendance ». Quelle indépendance ? Non pas celle du Canada français, assurément, puisque celle-ci est toujours au cœur du débat fondamental qu'il a lui-même relancé en 1922. Que viennent alors faire ces deux « époques » dans une entreprise concernant « surtout l'Histoire du Canada français » ? Ambiguïté à laquelle, en dépit de ses efforts, l'écrivain ne parvient réellement pas à échapper, qu'il traite d'histoire, de doctrine ou d'actualité.

À l'intérieur de la première époque telle qu'il la délimite se déploient deux « périodes », que sépare la brisure de 1763. La première est témoin de ce que Lionel Groulx appelle « la naissance d'une race ». Dans la manière dont il se représente le régime français, ce qui surprend, c'est la part, importante, certes, mais à tout prendre secondaire, qu'il accorde au phénomène même de la colonisation. Examinant la création du Canada défait en 1760, il ne parvient pas à voir combien le destin du peuple mis au monde au XVIIe siècle sur le Saint-Laurent est déjà inscrit dans l'ampleur relative, considérable, mais insuffisante de l'œuvre colonisatrice poursuivie par la France durant cent cinquante ans. Il ne saisit guère le rôle essentiel de la puissance publique, tant dans la métropole que dans la colonie (ce qui l'empêchera de percevoir nettement l'importance de la colonisation britannique dans la mise en place du Canada moderne dont est né le Canada contemporain). En 1919, la conclusion de *La Naissance d'une race* marque sans hésitation la prépondérance de l'action de l'Église sur celle de l'État dans la formation du Canada des XVIIe et XVIIIe siècles :

> L'Église et le curé deviennent le centre, le lien de la paroisse ; et la paroisse devient le principal, sinon le seul cadre administratif. L'habitant se suffisait déjà dans sa famille ; il se suffit dans sa paroisse, avec ce gouvernement temporel et spirituel qui lui garantit l'ordre, assure la stabilité des foyers, les unit dans une charité supérieure... Les interventions intermittentes d'une société civile lointaine, le coude-à-coude pour la défense des frontières, les exercices militaires mensuels, sont, à vrai dire, les seuls rappels à une collectivité terrestre plus haute que la paroisse... Une société organisée dans l'ordre social chrétien, selon les cadres éternels fournis par l'Église, garde, nous le savons, la promesse de toutes les guérisons et de tous les progrès... La dignité des mœurs, le respect des lois de la vie, la paix des familles et des classes, le culte de la justice, de la prière, de l'esprit, [le petit peuple canadien de 1760] les place plus haut que toutes les grandeurs matérielles. Investi de tous ces titres, gardien de toutes ces espérances, que manque-t-il, en vérité, au petit peuple de la Nouvelle-France ? Il peut paraître le dernier et le plus petit aux yeux de la politique matérialiste ; il n'en porte pas moins au front le sceau des prédestinés ; il est de ceux par qui veulent s'accomplir les gestes divins.

L'historien, qu'on ne l'oublie pas, est alors au début de sa carrière. À la vérité, nous le savons, il fait ses classes. Fait à signaler, c'est la première fois que, dans ses conférences publiques, il aborde le régime français, l'époque de la création. Et il commence par la considérer dans son ensemble, alors que, jusque-là, il a eu la prudence — naturelle à un débutant — d'examiner des questions considérables, certes, mais particulières: les luttes constitutionnelles, les événements de 1837-1838, les origines de la fédération canadienne. En 1918-1919, au contraire, il écrit, en quelque sorte, son livre de la genèse, comparaison qu'autorise le titre même qu'il lui donne. C'est, à tous égards, un coup d'essai; coup d'essai extrêmement brillant, c'est certain, mais coup d'essai tout de même. Or, durant tout le reste de sa longue carrière, il s'en tiendra pour l'essentiel à ses conceptions de 1919. Il réédite sa *Naissance* vingt ans après, en 1938. C'est de cette édition que proviennent, en toute justice pour l'auteur, les lignes citées plus haut. L'écrivain reconnaît, il est vrai, n'avoir pas eu le loisir d'apporter à son ouvrage toutes les modifications qu'il aurait souhaité y introduire; il faut qu'il ait eu dans l'esprit des modifications de détail, puisque, même sans procéder à la refonte de son essai, il lui aurait été facile d'avertir le public que sa perspective avait changé s'il s'était trouvé qu'elle eût vraiment changé. Raisonnement que confirme, d'ailleurs, la lecture du premier tome de son *Histoire du Canada français* dans l'édition de 1960, où l'on retrouve ce qui suit:

> À qui observe le Canada d'autrefois, deux cadres sociaux, ou mieux, deux institutions s'offrent en relief: la famille, la paroisse... C'est à l'Église pourtant que la famille canadienne doit le meilleur de soi... Il restait à l'Église d'étayer la famille en l'enveloppant dans une société complémentaire, plus large et plus vigoureuse: la Paroisse... Religieuse, la paroisse l'est encore par la présence et par le rôle du prêtre, rôle presque tout-puissant en ces temps reculés, où le prêtre tient lieu de maints organes de supplément en la vie temporelle et civile... Et il y a le vrai chef de la paroisse, le curé, dont l'empire s'étend jusque sur les consciences

> et déborde dans le temporel. Au règne du seigneur a vraiment succédé le règne du prêtre... Ainsi la paroisse prend figure d'une entité sociale et, nous dirions même politique, presque complète, qui, à la rigueur, pourrait vivre de sa seule vie... Famille, paroisse, cadres sociaux, disons mieux, institutions vitales où la colonie va prendre son armature si musclée... Les événements qui s'en viennent pourront abattre les défenses militaires de la colonie. Une ligne défensive restera imprenable : celle des forts spirituels échelonnés sur les deux rives du Saint-Laurent.

Quelle continuité de pensée ! Quel évident rapport de filiation entre les conceptions qui inspirent l'écrivain en 1919 et celles qui informent sa pensée en 1960 ! Le rôle de l'Église — entendons, en gros, celui du clergé, significativement confondu avec l'ensemble de l'Assemblée chrétienne —, il saute aux yeux que, loin de le voir à travers la mentalité contemporaine des faits qu'il commente, l'historien le perçoit conformément à des idées en croissance vers le milieu du XIXe siècle, et qui persistent vers 1920, se survivent encore à la fin de la décennie quarante, période de triomphalisme hypertrophié, mais se sont déjà considérablement résorbées vers 1960. Si l'auteur de l'*Histoire du Canada français* se réjouit encore de ce que le pays soit « né, peut-on dire, de la meilleure France entre 1660 et 1680 », ce qui, estime-t-il, lui assure dès lors une « parfaite homogénéité ethnique et religieuse », il n'en continue pas moins à minimiser implicitement, pour ne pas dire plus, le fait même de la colonisation et, ainsi, le rôle de la puissance colonisatrice dans la formation de la société coloniale. Celle-ci, à son dire, irait jusqu'à dépasser la société mère, puisqu'elle serait dotée d'« institutions politiques, juridiques, sociales, qui, pour le sens et la pratique de la liberté, et quoi qu'on ait dit, sont en avance sur celles de la métropole ». Pour lui, en somme, le Canada s'est fait lui-même dans une large mesure : « ...Parce que la colonie s'est développée de ses propres forces, et, parce que, pendant près d'un siècle, elle n'a reçu ni de la métropole ni d'ailleurs, de migration massive; parce que, de bonne heure, elle a dû vivre une vie assez largement autonome, on découvrirait facilement en elle, une ébauche de conscience historique, le sens d'une patrie et d'une collectivité distincte. » Il ne paraît pas excessif de l'affirmer, entre les années vingt et les années soixante, pour l'essentiel, la vision que Groulx entretient de la Nouvelle-France est restée sensiblement la même.

Quant à l'évolution du Canada français sous le régime britannique, nul n'a résumé comment il se la représente avec plus de concision et de netteté qu'il ne l'a fait lui-même en 1943 (*Pourquoi nous sommes divisés*) :

> Dès 1764, nous refusions de devenir des Anglais, dans l'empire britannique. Dix ans plus tard, l'Acte de Québec... consacrait, et nous savons avec quel éclat, cette volonté isolationniste. Consécration que le... parlement [impérial] renouvelait en 1791, par la formation du Bas et du Haut-Canada... Pendant un demi-siècle, le Bas-Canada continua de vivre sa vie comme province ou État distinct. En 1841, on tentait de revenir à la politique assimilatrice de 1764... Nous faisions bloc autour de La Fontaine comme, pendant vingt ans, nous l'avions fait autour de Papineau. En 1842, Bagot puis le gouvernement impérial s'inclinaient de nouveau devant l'irréductible fait français... Dernière et plus solennelle consécration en 1867. La Confédération n'était pas possible sans le Québec, et nous refusions d'entrer dans la Confédération, sinon en qualité de province autonome. Province autonome, province française nous sommes redevenus. Une fois, deux fois, trois fois, quatre fois !

En 1760, reprend l'*Histoire du Canada français*, les vaincus auraient pu « se laisser happer par le plus fort,

...disparaître sans bruit et même sans honte». Mais c'eût été méconnaître «la vigueur d'âme de ce peuple de pionniers, son impatience de tout joug, sa passion de liberté». Le voici donc «cramponné à une volonté de survie, dans l'énergique refus de l'assimilation». Son histoire «rebondit». Après la Conquête, elle se bâtit «sur la ligne d'une évolution politique en constante ascension», si bien que, «partie du régime de la colonie de la couronne, l'évolution ne s'arrête qu'à ce terme d'un Québec autonome dans un Canada indépendant». Ce qui, pour peu qu'on y réfléchisse, ne laisse pas d'étonner dans ce scénario, c'est le rôle prépondérant que l'écrivain donne aux vaincus, ce sont les victoires répétées des faibles sur les forts, des pauvres sur les riches, des plus vulnérables sur les mieux armés, de ceux qui sont seuls sur ceux qui sont légion; victoires répétées, en effet, parce qu'elles n'ont jamais rien de décisif, que la bataille est immanquablement à reprendre sur un terrain défavorable et que c'est, au fond, toujours le même combat.

Faute de pouvoir repasser toutes les étapes consécutives à 1760, arrêtons-nous au régime fédératif qui apparaît au bout de cette courbe. C'est le Bas-Canada qui l'a voulu, proclame l'historien. Il y insiste: «C'est au Bas-Canada que le nouveau pays sera redevable, au premier chef, de son régime politique, régime non seulement le plus favorable à la liberté humaine, avons-nous déjà fait observer, mais le seul à la convenance d'une entité politique et géographique aussi vaste et d'aspects si divers que le sera la Confédération canadienne.» Mais le cœur du Canada français, le Québec, ne s'en trouve-t-il pas réduit au statut de province? Sans doute, réplique l'historien, qui emprunte ici le langage du juriste, sinon l'attitude de l'avocat, mais, «à l'encontre d'opinions trop communes dans le grand public, nous rappellerons que, dans les limites de l'article 92, la province canadienne est un État souverain, nullement subordonné à l'autorité centrale, aussi indépendant en sa sphère que le pouvoir fédéral peut l'être dans la sienne». En somme, la loi de 1867 réserverait des «prérogatives enviables» au Québec, notamment «le suprême privilège de l'individualité politique». Et Lionel Groulx de donner raison à cet évêque de l'époque selon qui le nouveau régime aménageait «la position la plus belle et la plus pleine d'avenir dont nous ayons joui, depuis que nous sommes devenus sujets britanniques». C'est que, signale l'écrivain, le Québec n'y est pas entré «sans y mettre ses propres conditions, sans assurer, autant qu'un texte de loi peut le faire, son héritage culturel». (Notons le glissement de la situation globale à l'aspect culturel de cette situation.) Car la constitution confie à la garde des provinces ces «réalités sociologiques et culturelles qui constituent l'essence d'une nation et l'armature d'un État», c'est-à-dire «la langue, le droit civil, la justice, l'enseignement, la colonisation, le mariage, les institutions familiales, municipales, sociales...» Tout est donc sauvé.

Non; tout reste précaire. Lionel Groulx affectionne de peindre ses tableaux en deux temps: d'abord les couleurs claires, ensuite les teintes sombres. Il a étudié, en début de carrière, les «origines» de la Confédération. Il y retourne. Les difficultés, voire les impossibilités à venir se laissent pressentir au moment même où se déroulent les conférences préparatoires à la mise en place des nouvelles institutions. Dans les interventions des «Pères» francophones, l'écrivain discerne une «aveugle générosité» et un «naïf optimisme», cependant que leurs solides interlocuteurs leur opposent «un réalisme si froid, si calculateur, si obstiné». Des quatre «jeunes États» qui se voient invités — amenés plutôt et, pratiquement, contraints — à se fédérer, un seul «se déclare satisfait: le Haut-Canada». (Pourquoi pas? Il sera propriétaire du Dominion.) Dans le pays qui se fait, le Québec n'est pas chez lui d'entrée de jeu, il «devra se tailler sa place». L'historien, dirait-on, s'en console: «Mais où sont, demande-t-il, les constitutions politiques qui dispensent de toute vigilance? Et où trouver, dans l'histoire du monde, les petits peuples ou les peuples minoritaires dispensés de la lutte pour la vie?» Deux voies, c'est clair à ses yeux, s'ouvrent devant l'histoire: celle de la facilité, celle de la volonté. Il a livré le fond de sa pensée dans la «conception» qu'il exposait en 1918: «Toute notre histoire est là qui affirme la puissance de la volonté dans la vie d'un peuple.» Après 1867, Québec voudra-t-il? La province, «quel usage fera-t-elle de ses magnifiques ressources? Quel parti voudra-t-elle tirer de son autorité reconquise? Mettra-t-elle au premier rang de ses soucis, l'achèvement du *self-government*?»... Il est vrai, accorde l'écrivain, que, dès le départ, Ottawa domine Québec: il n'est pas sans signification que plusieurs des principaux agents de l'autorité centrale, en vertu du double mandat, siègent dans la Chambre provinciale; vrai encore que, dès la première session du «parlement de Québec», les législateurs locaux trahissent leur «impuissance» à rien mettre en train d'important, paralysés par le manque de ressources financières auquel la constitution réduit les administrations provinciales. Ce sont là des «déficiences». De grands politiques pourraient y remédier; hélas! la faiblesse humaine et partisane gâtera tout: «Dans le Québec en particulier, les hommes d'État vont trop manquer pour corriger à temps ces déficiences. Résultat: on politique plus qu'on ne fait de politique. On administre; on gouverne trop peu.»

Mais les Québécois francophones ne sont pas les seuls représentants de leur groupe culturel dans le Dominion. Il existe des minorités de langue française en dehors du Québec. L'écrivain se rend à l'évidence en examinant les débats qui ont précédé la loi de 1867: les « Pères » de la Confédération « n'ont que peu ou point prévu l'expansion de la dualité canadienne, dualité ethnique, dualité de culture et de religion, à travers tout le Canada ». Tous les « Pères », y compris les francophones? En effet. Ceux-ci « ont même ignoré la minorité française du Haut-Canada ». Ce qui ne l'empêche pas de se demander si, le jour où ces minorités « réclameront le droit de vivre » à l'extérieur du Québec, les provinces anglophones appliqueront « la constitution fédérative ». Leurs gouvernants « sauront-ils opter loyalement pour la solution fédéraliste » ? Et s'ils choisissent la formule de « l'unitarisme », que fera le Québec? « Acceptera-t-il de se laisser enclore dans sa 'réserve'? Optera-t-il, selon l'esprit de 1867, pour une dualité culturelle reconnue par tout le Canada? » Au moment où il écrit sa synthèse, l'historien connaît depuis longtemps les réponses aux questions que lui inspire sa rhétorique. Il y a alors près de vingt ans qu'il a publié *L'Enseignement français au Canada*, ouvrage fait, pour la moitié, de la chronique des luttes scolaires qui ont accompagné le développement de toutes les provinces anglophones. Au lieu de la « dualité » qu'il s'est acharné à trouver dans « l'esprit de 1867 », il découvre dans les faits l'inégalité de deux peuples ; au lieu de « l'expansion » de la francophonie « à travers le Canada », il en découvre le refoulement dans le Québec — dans ce Québec dont les « déficiences » provinciales limitent « l'accomplissement ». Il conclut avec amertume qu'il y aura désormais, « devant la constitution, deux Canadas: un Canada français respectueux de la liberté de tous, mais borné à sa 'réserve' québécoise, un Canada anglo-protestant, incapable de tolérer, si ce n'est à la petite mesure, l'enseignement de la foi catholique et de la langue française». Il s'est appliqué à penser que le régime fédéral était destiné à favoriser la création d'un Québec fort et français, État souverain dans un Canada bilingue; les faits lui montrent un Québec bilingue, province subordonnée dans un Canada fort et fidèle à ses origines britanniques. Il admet mal que les créateurs du Canada aient fait leur pays pour eux et comme ils l'entendaient.

Ce n'est pas tout. S'il est étonnant de constater l'ampleur du rôle que l'écrivain prête à la minorité dans la succession des régimes politiques instaurés par la majorité, il n'est pas moins inattendu de lui voir attribuer au même groupe minoritaire une influence réelle sur l'évolution qui conduit le Canada vers l'indépendance. Au lendemain de la dernière guerre, il publie un important article sur «L'Idée d'indépendance à travers l'histoire canadienne», morceau reproduit, avec des remaniements considérables, dans *L'Indépendance du Canada* (1949). La guerre du Transvaal, y lit-on, provoque une «renaissance du nationalisme» dans le Dominion: «renaissance assez timide au Canada anglais où le mouvement trouvait pourtant un coryphée de premier rang dans la personne de M. J. John S. Ewart...» Mais voici la suite: «Renaissance plus hardie, plus vigoureuse dans le Canada français, où M. Henri Bourassa... susciterait toute une école de pensée et d'action. Sous l'influence de cette école, la province de Québec reprendrait son ancien rôle d'avant-garde. Elle deviendrait, presque elle seule, le refuge du nationalisme canadien.» L'*Histoire du Canada français* reprend cette vue: «Centré sur son unique pays, [le Canadien français] aura été, pour le patriotisme canadien et pour l'avenir de la patrie canadienne, un élément de stabilisation. Peuple solitaire, plus par nécessité que par penchant, mais quoi qu'on ait dit, nullement isolationniste, fils d'ailleurs de ces deux grandes internationales que sont la culture française et l'Église universelle, on s'apercevra peut-être un jour qu'il aura aidé ses compatriotes anglo-canadiens à sortir de leur anglo-saxonnisme, pour s'épandre jusqu'aux vraies frontières de la fraternité humaine. »

Ce qui frappe le plus dans cette synthèse, que nous avons tenté d'esquisser dans les termes mêmes de son auteur, c'est que l'enchaînement des propositions logiques qui jalonnent son exposé semble se nouer dans un monde différent de celui où se déroule l'enchaînement des situations qui débouchent sur la réalité canadienne telle qu'elle se déploie, concrètement, sous nos yeux. Retenons les deux problèmes essentiels de l'indépendance et du fait français au Canada.

À propos du premier, une question nous est venue spontanément : quelle indépendance ? La réponse s'impose, évidente : celle du Canada. En 1945, Lionel Groulx prononce, à la vingt-deuxième session des Semaines sociales, une conférence que rapportent longuement les *Mémoires* et dont il convient de lire le texte dans *L'Indépendance du Canada* (1949). Ce texte débute ainsi : « Le Canada pays libre, pays indépendant. L'est-il ? Peut-il l'être ? Doit-il l'être ? Je note que, dans les trois Amériques, de la terre glaciale à la Terre de Feu, un seul pays en est encore à se poser ces questions de mineur en tutelle. Le plus extraordinaire et le plus humiliant, c'est que, en l'an 1945, un Canadien ne puisse, sur ces questions capitales, hasarder ses opinions d'homme libre, sans affronter quelques risques. » La conclusion en est la suivante : « Faire un Canada indépendant parce que, à l'orgueil vain et puéril d'appartenir à un grand Empire, cet Empire fût-il puissant comme le dragon de l'Apocalypse, balayant de sa queue la troisième partie des étoiles, un peuple qui a du cœur, doit préférer la fierté virile de vivre, si modeste soit-il, son propre destin. Et c'est pour le vivre, espérons-nous, que le Canada osera devenir libre, libre de son corps et de son âme, libre, un de ces matins, au son des cloches et des canons, dans la joyeuse et finale indépendance.» En 1946, l'écrivain publie un article qu'il reprend et développe en 1949; cet article s'ouvre sur ces considérations: «Le Canada, peuplé de onze millions d'habitants, en possession de l'un des territoires les plus vastes et les plus riches du monde, au quatrième rang pour la puissance industrielle et commerciale, tient une position singulière parmi les peuples des trois Amériques. Le seul à porter encore des lisières coloniales, il sera le dernier à franchir l'étape décisive de l'indépendance... Et quelles seraient donc les influences déprimantes qui auraient condamné le Canada au rachitisme politique et national et qui feraient de lui, en l'an 1946, un jouvenceau attardé dans l'histoire coloniale et dans la famille des peuples?» La deuxième guerre mondiale vient de finir. Sur le plan international, le Canada occupe une position d'importance et de prestige qu'il n'a jamais tenue auparavant et que le relèvement graduel de l'Europe ne lui permettra pas de conserver indéfiniment. Il touche un sommet. C'est le moment où l'on se demande si ce pays est la plus grande des petites puissances ou la plus petite des grandes puissances. Et trente ans après, sans que soit intervenue une historique déclaration d'indépendance, il n'est personne au monde qui conteste que le Canada soit un pays souverain.

Au Canada, la place du fait français est fixée. Aujourd'hui, les frontières de la francophonie canadienne correspondent, en gros, à celles du Québec, avec une excroissance du côté de l'Ontario et un noyau dans le Nouveau-Brunswick. Le recensement de 1971 révèle que dans toutes les provinces, à l'exception de cette dernière et du Québec, les populations canadiennes savent l'anglais, soit exclusivement, soit en plus d'une autre langue, qui peut être le français: la proportion des personnes qui sont en état de comprendre ou de parler l'anglais se situe entre 99% à Terre-Neuve et dans l'Île du Prince-Édouard et 93,3% en Nouvelle-Écosse. Elle s'établit à 84% au Nouveau-Brunswick. À rebours, c'est au Québec que vivent près de 88% de tous les Canadiens qui tiennent le français pour leur langue d'usage. On peut dire que, sauf le Québec, le Canada est anglophone. Le P. Richard Arès, dont je ne fais que résumer ici les excellents travaux, conclut de son examen du recensement de 1971: « Dans cinq provinces sur neuf, la minorité d'origine française a adopté majoritairement l'anglais comme langue maternelle; dans huit provinces sur neuf, la majorité [de la population d'origine française] le parle à la maison, et au moins un tiers ne sait plus que l'anglais. » Abstraction faite des Québécois, il subsiste à peine plus de 4% de Canadiens parlant le français en famille. Ce que nous connaissons du recensement de 1976 indique que cette situation ne fait que s'aggraver.

Au moment où Lionel Groulx rédige en toute hâte son *Histoire du Canada français*, les dernières données sûres dont il peut disposer restent celles de 1941. Il se trouve qu'en comparaison de celles qui les précèdent et de celles qui les suivent elles font état d'un accroissement exceptionnel des effectifs d'origine française. Elles indiquent que, depuis 1931, ceux-ci sont passés de 28,2%

à 30,3% de la population canadienne, alors que le groupe d'origine britannique, qui comptait pour 51,9% de l'ensemble en 1931, n'en constitue plus que 49,7% en 1941. Voilà les Britanniques en minorité au Canada. Des imaginations prennent feu: les berceaux seraient-ils pour de bon en passe de prendre leur revanche? Attention! Au cours de la même décennie, la proportion des Canadiens de langue maternelle anglaise s'est presque maintenue, ne variant (à la baisse) que de 57% à 56,4%, alors que celle des Canadiens de langue maternelle française a connu une avance qui l'a fait passer de 27,3% à 29,2%. Une comparaison entre les données relatives à la langue maternelle et les données relatives à l'origine ethnique aurait pu, dès lors, inciter à quelque prudence: le Dominion compte encore plus d'anglophones que de Britanniques et toujours moins de francophones que de Canadiens français. L'attraction culturelle continue à jouer dans le sens de la majorité. Mais ce n'est pas ce qu'on veut voir. Les chiffres se rapportant à l'origine ethnique font rêver.

À quoi rêvent les vieux « nationalistes » ? Dans *Le Devoir* du 14 mai 1943, Omer Héroux s'ingénie à tirer la « leçon » des chiffres de 1941. Il triomphe: « La population du Canada a cessé, écrit-il, d'être en majorité d'origine britannique. » La nouvelle minorité serait même plus fragile qu'un vain peuple pense, car « il y a là-dedans des Anglais, des Écossais et des Irlandais », outre des immigrants: « On peut bien jeter sur tous ces gens une étiquette commune, cela n'abolit point les différences plus ou moins profondes qui existent entre eux. » Il se livre à un calcul simple: si à l'élément canadien-français se joignait « la moitié des non-Français » — c'est-à-dire la moitié des Britanniques et des représentants des autres ethnies —, c'en serait assez pour « constituer le bloc de ceux qui mettent avant tout les intérêts du Canada ».

Perrette continue de marcher avec toute la légèreté de ses souliers plats. La nouvelle majorité, poursuit Héroux, pourrait bien imposer au Dominion une politique à deux volets: dans ses relations extérieures, le Canada cesserait enfin de s'aligner sur Londres et Washington, cependant qu'à l'intérieur régnerait « entre toutes les races et toutes les confessions religieuses un régime de fraternelle coopération et d'équitable liberté ». Ainsi se réaliserait, en somme, le Canada conçu par Bourassa et souhaité par Lionel Groulx.

Ce songe d'un jour de printemps peut, à la rigueur, se prolonger au moment où l'écrivain livre au public la première édition de son *Histoire du Canada français*. Lorsqu'en paraît la quatrième édition (1962), il y a longtemps qu'il s'est dissipé. Les immigrants affluent depuis 1946; ils viennent de l'Italie, des îles britanniques, de l'Europe orientale, de l'Allemagne, de la Grèce... Dans tout le Canada, sans excepter le Québec, ils lient leur sort à celui des Britanniques. En 1954, le P. Arès analyse le recensement effectué trois ans auparavant. Il signale « une augmentation redoutable de la puissance assimilatrice de l'anglais, et cela dans toutes les provinces canadiennes », tout en relevant, dans les minorités canadiennes-françaises, des « pertes » si élevées que, prévoit-il déjà, si l'on n'y porte remède, « la situation aura empiré dans dix ans ». Dix ans après, le même observateur constate, à l'examen du recensement de 1961, que les effectifs francophones à l'extérieur du Québec fondent si rapidement que, si rien n'intervient pour « changer le cours actuel de l'histoire », on verra s'accentuer « la conviction déjà ancrée chez plusieurs qu'il n'y a espoir de survie pour la communauté canadienne-française que dans une seule des dix provinces canadiennes, dans le seul Québec ». Après le recensement de 1971, le P. Arès se demande s'il y a encore un avenir pour le français au Canada. Oui, estime-t-il, au Nouveau-Brunswick et dans des régions ontariennes jouxtant le Québec; ailleurs, « tout ce qu'on peut espérer, c'est une survie de plus en plus réduite en nombre et en pourcentage sur le plan linguistique et rongée moins par l'anglicisation que par la bilinguisation, une survie soutenue financièrement et tolérée de l'intérieur parce que n'offrant plus aucun danger à la suprématie anglophone». Le Canada s'est réalisé. À l'exception du Québec, il est anglais et le restera. C'est ainsi que s'est déroulée l'histoire dans la réalité.

En présence de cette réalité, on voit mal comment il serait plausible de prêter un caractère de « dualité » nationale à un pays qui, au moment même où il s'édifie, ne tient pas compte des groupes francophones — « minorités anciennes ou minorités nouvelles » — en dehors du Bas-Canada et qui, fait connu depuis plusieurs années en 1962, engloutit, à mesure qu'il se développe, ces îlots dans une mer de culture britannique, refoulant ainsi la francophonie canadienne dans le Québec et ne lui permettant qu'une expression provinciale. On voit encore moins bien comment il serait vraisemblable d'investir les Canadiens français d'une fonction de « stabilisation », voire de leadership dans l'accession à l'indépendance de ce pays où ils ont si peu de poids, où ils sont si étrangers aux grands mouvements politiques que leurs porte-parole « nationalistes » réclament pour lui la souveraineté, cependant que déjà la communauté internationale la lui reconnaît. Enfin, on ne saisit pas du tout à quoi correspond pour le Québec, en tant que collectivité, la vision d'un cheminement politique en « constante ascension », alors que ce cheminement s'arrête au niveau inférieur d'une province qui, dès le départ, sent son « impuissance » : incapacité liée à une insuffisance congénitale et immédiatement constatée de ressources financières, liée surtout (mais l'écrivain ne le dit pas) aux limites évidentes que comporte en soi un statut provincial.

Une marge considérable apparaît donc entre l'évolution du Québec et du Canada telle qu'elle s'inscrit dans les faits — et la représentation que donne de cette évolution l'*Histoire du Canada français*, synthèse tirée de trente-cinq ans de travaux historiques. Il y aurait autant de légèreté, pour ne pas dire d'inconséquence, à couvrir cette constatation du manteau de Noé qu'il y aurait d'inconvenance à en prendre occasion pour tourner en dérision toute une production historique. S'agissant d'histoire, l'objectif n'est ni d'exalter ni de déprécier. Il est de comprendre. La conception que se fait Lionel Groulx de l'évolution de son «petit peuple» et du pays dans lequel celui-ci se trouve pris, elle naît des idées qu'entretient l'historien et des fins qu'il poursuit en construisant son oeuvre.

Ses idées, l'écrivain les puise, comme tout le monde, dans son époque et dans son milieu; c'est singulièrement vrai de lui, homme d'expression plus que d'étude, avec sa personnalité tournée vers l'action, l'intervention, la manifestation, l'extérieur. Son milieu, c'est d'abord celui qui lui est immédiat, celui du Mile End, du clergé «nationaliste» et de l'état-major de *L'Action française*, de *L'Action nationale*, du *Devoir*, de diverses sociétés nationales; c'est, plus largement, un milieu culturel élaboré par l'histoire; c'est, plus précisément, celui qu'exprime et qu'entretient une littérature traditionnelle aux fortes habitudes, solide comme un système et, comme un système, susceptible de s'effondrer, mais non sans laisser à sa suite de tenaces survivances. Cette espèce de système, dont chaque élément tire un supplément de force de la cohérence du cadre dans lequel il est intégré, on en trouve l'examen dans un livre qui a bien vieilli, sans laisser de vieillir fort bien, *The Spirit of French Canada*, publié à New York par un professeur de l'Université Columbia, Ian Forbes Fraser, en 1939. La date est à retenir: c'est le moment à la fois le meilleur et le plus mauvais possible. Le plus mauvais, parce que l'immense drame de la guerre chasse tout de suite l'ouvrage de la scène de l'actualité. Le meilleur, parce que l'époque qu'il étudie va se fermer au lendemain de sa publication; en d'autres termes, à l'heure où une situation littéraire et, à vrai dire, spirituelle est à la veille d'être rompue, il se trouve un observateur aussi bien informé que non prévenu pour en faire une analyse intelligente et claire. Dans cet ouvrage, à l'aide d'une masse de citations qui constituent autant de témoignages, l'auteur identifiait les cinq grands thèmes qui avaient inspiré la littérature canadienne-française, surtout depuis les années 1850. Moins par ordre d'importance absolue qu'en raison du degré de ferveur littéraire qu'ils ont connu, ils prennent rang comme suit: 1. le culte de la France; 2. le sentiment de la religion catholique; 3. la mystique du sol; 4. le miracle de l'histoire de la race; 5. la défense de la langue française. La pensée de Lionel Groulx s'enracine dans ce terroir dont la fin de la guerre de 1939 signale déjà l'épuisement, mais qui, dans les années cinquante, conserve encore la fidélité d'une certaine école dont il est permis de croire qu'elle se survit encore maintenant, à travers la popularité du «patrimoine» et dans certaine mode littéraire de style campagnard qu'on pourrait aussi qualifier de rétro. Il n'est aucun de ces cinq thèmes que ne développe l'œuvre de l'écrivain, y compris ses contes, ses romans et ses polémiques; aucun que n'illustre son *Histoire du Canada français*.

Cela reconnu, il reste à dégager les deux colonnes qui soutiennent cette œuvre. La première est le catholicisme, je veux dire celui de ce temps-là, conviction à la fois intime et ostentatoire. Au Canada français, on est à l'époque où à peu près tout le monde, sauf les marginaux, défend la religion et ses institutions avec un zèle d'autant plus impavide que la société se garde bien de s'en prendre à celles-ci comme à celle-là (observons, s'il vous plaît, de ne pas rire trop fort: l'extension et l'audace actuelle de l'anticléricalisme profitent beaucoup de ce que le clergé n'est plus guère en état de résister; aussi le coup de pied de l'âne devient-il pratique courante). Raideur, remarquons-le encore, de fin de régime: le dernier volume de l'*Histoire du Canada français* paraît à moins de trois mois de l'entrée triomphale du cardinal Léger à Montréal, événement qui marque l'apogée d'une période et d'un style. Prêtre, Lionel Groulx est d'un catholicisme sévère, exigeant, volontaire et, par-dessus tout, consolateur. À l'étape de 1760, les vaincus, il en est certain, traverseront victorieusement l'épreuve de la défaite parce qu'ils sont marqués du « sceau des prédestinés » (sur quoi aurait-il fondé sa certitude si, par hypothèse, les vainqueurs, chrétiens eux aussi, avaient été eux aussi catholiques?). D'ailleurs, ce peuple n'a-t-il pas, selon l'écrivain, été formé par l'Église encore plus que par la colonisation française? Battu, abaissé, refoulé, il conserve la force que lui assure sa participation à la grande internationale qu'est « l'Église universelle ». Certitude d'autant plus inébranlable et compréhensible chez l'historien que, membre du clergé, et d'un clergé puissant, il vit dans une ambiance d'autonomie, appartenant lui-même au seul corps dans lequel, au rebours des grands partis politiques, des grandes entreprises et du milieu de la culture savante, ses compatriotes n'occupent pas sur leur propre sol un rang subordonné. Son peuple a des promesses de vie ; il suit une route qui monte parce qu'il ne peut pas rouler dans l'abîme : ascension qui a, dans son esprit, quelque chose d'un article de foi.

L'autre colonne du temple idéologique est le nationalisme. Colonne fêlée. Ici l'inspiration, dans l'ensemble déroutante, vient principalement d'Henri Bourassa. Non pas que l'influence française soit nulle : l'écrivain, qui dit n'avoir guère été touché par un Maurras qu'il citait pourtant à l'occasion avant que l'Église ne le condamnât, l'a été davantage par Barrès, bien qu'il déclare avoir vu surtout en lui un « grand maître du style » ; or, si Barrès cultivait un sentiment littéraire de la Lorraine, il avait la plus haute idée de la France, lui qui avouait, infiniment plus attaché à la nation (indivisible) qu'à la patrie régionale : « Mais nous n'ignorons pas que les âmes lorraines, bretonnes, normandes sont rudimentaires, de solides assises pour nos vies, mais c'est la France qui fait notre culture. » Aux premières pages de son *Histoire du Canada français*, Lionel Groulx mentionne le nom de Jacques Bainville et annonce que, comme lui, il s'efforcera sans cesse d'indiquer le « fil conducteur », les « grandes lignes que l'avenir peut-être retiendra ». Il a des affinités évidentes avec la droite française. En lui, cependant, toutes les influences pâlissent auprès de celle de Bourassa. Il consacre au personnage tout un chapitre de son *Histoire* et une partie notable de ses *Mémoires*. Dans sa synthèse, fidèle à sa méthode, il le montre sous deux aspects. D'abord celui du « nationaliste canadien » : à ce titre, il juge admirable sa « résistance à l'hystérie impérialiste » et extraordinaire le fait qu'« un principe supérieur le guide, la primauté de l'intérêt canadien ». Ensuite, celui du « nationaliste canadien-français », point du tout « indifférent au fait français en son pays ». Le grand homme, il est vrai, « a pu douter un moment de la pureté et de l'orthodoxie du nationalisme des siens » ; simple accident, toutefois, « ombres, nuages passagers dans une noble conscience » (en réalité, Bourassa condamne le nationalisme lorsque ce dernier devient québécois et, précisément, séparatiste). L'écrivain loue son idole d'avoir vu « dans la pensée des Pères de la Confédération » et dans le régime lui-même un pacte qui « devait mettre fin au conflit des races et des Églises et assurer à tous, catholiques et protestants, Français et Anglais, une parfaite égalité de droits dans toute l'étendue de la Confédération canadienne ». Il lui attribue un autre mérite : celui d'avoir assigné un grand rôle « à sa petite nationalité ». Il explique : « En politique, il l'eût voulu voir toujours fidèle à sa tradition historique, à la tête de tous les grands mouvements de réforme. » Un jour, conclut-il, la « pleine stature » de cet homme apparaîtra : « Le Canada, redevenu canadien, lui saura gré d'avoir préservé ses idéaux politiques, sa destinée naturelle. Ses compatriotes canadiens-français lui garderont gratitude pour n'avoir pas sombré tout à fait dans le fol esprit de parti, et pour avoir repris leur place peut-être, comme il l'avait tant voulu, à l'avant-garde des conquérants de la liberté canadienne et des vrais progrès politiques et sociaux. » Voilà, me semble-t-il, un jugement d'une extrême importance, également révélateur de celui qui le formule et de celui à qui il s'applique. Celui-ci allait au bout de son idée. La nécessité se présentait-elle de choisir entre le Canada français et le Canada, il optait pour le Canada, persuadé — c'est Lionel Groulx qui transcrit dans ses *Mémoires* ces mots de Bourassa — que « les droits de la langue et de la race doivent se subordonner aux droits de l'Église et de la patrie canadienne ». Rien de plus net.

L'écrivain, lui, cherche à concilier ses deux « nationalismes » canadien et québécois. Il incline tantôt d'un côté, tantôt de l'autre. Il suit son maître à penser sans vouloir l'accompagner jusqu'au bout de sa logique. Il se sépare de lui et revient à lui. D'où les difficultés de son cheminement.

Si le caractère que Lionel Groulx imprime à l'évolution historique du Canada français est conditionné par ses idées, il l'est aussi par les fins qu'il se propose en l'exposant. Sa conception théorique de l'histoire, « science pratique qui tend à la conduite de la vie », « doctrine et maîtresse vivantes », pèse d'un poids considérable sur sa vision particulière de l'histoire du Canada français. Son œuvre historique veut être en même temps œuvre pédagogique et inspiratrice. On a vu combien sa société canadienne de 1760 a valeur exemplaire. Sa *Grande Aventure* ne dissimule pas le dessein de pourvoir les jeunes de héros authentiques. Après la Conquête, chaque point atteint dans l'« ascension » des siens couronne une lutte opiniâtre et courageuse, un noble effort de volonté. Quelle leçon pour les faibles que ces mêmes hommes sont devenus ! Après avoir marqué la « volonté de vie autonome » de leurs pères, tant à l'extérieur qu'à l'intérieur du Québec, « volonté continue, nourrie inlassablement et qui revêt le caractère d'une constante d'histoire », il demande carrément : « Quel aspect du passé s'offre plus opportunément aux méditations de la génération d'aujourd'hui, par trop tentée de rupture avec l'ancienne ? » Ce n'est pas tout. Utiles à ses compatriotes et profitables au Canada, les leçons de l'histoire du Canada français lui apparaissent valables pour un cercle plus étendu d'humanité. La « continuité » qu'il en dégage suppose, affirme-t-il, « la conscience vive des valeurs de civilisation qu'on porte en soi ». Il précise : « Elle suppose encore, dans l'âme d'un peuple croyant, la conscience plus ou moins nette d'un message original à livrer au monde. Persuasion, perspective chrétienne, où collectivités autant qu'individus se sentent chargés de mission, engagés dans la partie suprême, voulue, entreprise par le Christ il y a vingt siècles pour la rédemption de l'univers et pour une ressaisie de l'histoire humaine.» Le passé missionnaire de ce peuple en fournit, à ses yeux, «l'ample témoignage». Ce n'est pas un hasard si son dernier grand ouvrage d'histoire, fruit des travaux de sa vieillesse (1962), se trouve être *Le Canada français missionnaire: une autre grande aventure.* Jusqu'à la fin, il aura enseigné à son peuple que sa grande dignité consiste à être «de ceux par qui veulent s'accomplir les gestes divins».

Ce messianisme, l'écrivain ne le trouve pas seulement au fond de ses convictions. Il le respire avec l'air de son temps. C'est exactement une idée reçue. Elle fait partie de la tradition, même de la tradition littéraire que j'évoquais il y a un instant. Ainsi, le bon et prosaïque Pamphile Le May dédie à ses «compatriotes anglais» un sonnet qui contient ces deux vers invraisemblables:

Vous êtes des marchands, nous sommes des apôtres;
Vous achetez la terre, et nous, nous la sauvons.

L'auteur des *Gouttelettes* (1904) ne brille pas par son originalité. En 1922, le futur cardinal Villeneuve parle de «la vocation surnaturelle de la race française en Amérique» et du «rôle auguste auquel la dispose comme de longue haleine la divine Providence». Il ne lui paraît pas exclu «qu'elle devienne ainsi le flambeau d'une civilisation idéaliste et généreuse dans le grand tout que fusionne l'avenir américain; qu'elle soit en un mot, au milieu de la Babylone en formation, l'Israël des temps nouveaux, la

France d'Amérique, la nation-lumière et la nation apôtre». Deux exemples, mais typiques, entre cent. Trop plein de talent et trop cultivé pour verser dans pareille grandiloquence, Lionel Groulx n'en puise pas moins aux mêmes sources qui ont inspiré les patriarches contemporains de sa jeunesse et les compagnons de sa maturité. Au-delà du mouvement «nationaliste», auquel il s'est intégré au point d'en épouser l'irréductible ambiguïté, c'est, semble-t-il, sur ce vieux fond de culture que reposent les assises de son œuvre et notamment celles de son œuvre historique. La courbe à l'aide de laquelle il s'est appliqué à tracer l'«ascension» des siens peut bien ne pas correspondre à l'évolution d'un pays, le Canada, où ils sont loin d'occuper la place qu'il leur désigne; elle peut bien s'arrêter, en réalité, à un point très inférieur à celui où il s'ingénie à situer leur rôle dans le monde — il se trouve cependant qu'elle se superpose à la ligne avec laquelle ce peuple a longtemps, dans son esprit, confondu le profil de son destin. C'est pourquoi il aura reçu et porté le titre d'historien national. Et pourtant, en 1950, dans l'avertissement qui précède la première édition de son *Histoire du Canada français*, il laisse tomber cet aveu: «Ce livre est donc loin de l'œuvre rêvée. On y trouvera, sur papier bleu, les lignes blanches de l'édifice qu'il arrive à tant d'hommes de ne pas bâtir.» Douze ans plus tard, le bref avertissement de la quatrième édition se termine sur ces mots: «... et devant ce Sphynx que reste toujours le passé humain, rien n'est tel que l'impuissance de l'historien.»

Cet opiniâtre qui accomplit tout ce qu'il fait à coups de volonté, cet auteur inépuisable dont les livres dépassent largement en nombre les dix volumes dans lesquels il voulait déployer son grand exposé de l'histoire du

Canada, comment expliquer qu'il n'ait pas mené à bonne fin son projet? On serait tenté d'évoquer ici les difficultés de la carrière. Elles sont réelles. Jusqu'en 1927, l'historien s'est vu forcé de gagner sa vie en marge de son enseignement universitaire: d'abord à l'École des hautes études commerciales, ensuite à la direction de *L'Action française*. À compter de cette année-là, toutefois, il devient un salarié de l'Université. Le voici donc à même de s'attacher exclusivement à sa chaire et de se donner sans partage à ses recherches. Va-t-il mobiliser les ressources de son immense énergie au service de son œuvre historique? Observons qu'il s'en est déjà procuré l'occasion et n'en a guère tiré parti. En août 1921, il part pour l'Europe, « en voyage d'étude, de recherches d'archives », c'est lui qui le précise. Il y reste neuf mois et passe la plus grande partie de son temps à Paris. « Mon travail aux Archives, rapporte-t-il, me donna peu. » Il évoque la lourdeur, la lenteur et la complexité bien connues de l'administration française. Cependant, il fréquente l'Institut catholique, attiré par Maritain et Sertillanges. Il semble assez assidu à l'Institut de *L'Action française*, où il faut semble-t-il avoir la foi pour y trouver de l'intérêt; même Jules Lemaître confiait à Barrès: « Ils n'ont pas de talent de parole et ça ennuie leur auditoire, mais on vient les entendre par vertu. » L'abbé y écoute avec quelque réserve Maurras, dont il conteste la réputation d'« impeccable clarté »; il goûte davantage Marius André, Henri Massis, Pierre Gaxotte surtout, qui, bien que jeune, « parle avec abondance, une aisance de vieil homme de métier, dans une langue nette, colorée, émaillée volontiers de fines malices ». Il entre en rapport avec celui-ci et son groupe. Comme les hommes d'Action française, il se tient à bonne distance de la Sorbonne et des sorbonnards. Mais il dîne chez René Bazin, chez Émile Lauvrière, chez le prince de Beauffremont. Il reste, bien entendu, en relation avec *L'Action française* de Montréal, qui achève de mener, sous sa direction, une importante enquête sur le problème économique et s'est engagée dans une autre enquête, qui fera du bruit, sur l'avenir politique du Canada français. Avec des Québécois de Paris — Louis Francœur, Augustin Frigon et plusieurs étudiants — il crée et dirige un « Comité de propagande » canadienne qui multiplie les séances d'information et va jusqu'à intervenir auprès de personnages comme Fortunat Strowski et Vincent d'Indy. Il prononce, chez les « Publicistes chrétiens », une conférence qui éveille des échos dans la presse de droite et que « la Ligue d'Action française de France » — ainsi s'expriment les *Mémoires* — publie en brochure pour la diffuser à 10 000 exemplaires : c'est *La France d'outre-mer*. On ne mène pas pareil train aux Archives...

Après comme avant 1927, l'action ne cesse de l'accaparer. Ses amis le sollicitent à tout propos ; il vaudrait mieux dire son école, qui est vaste et dont les exigences augmentent à mesure qu'elle s'accroît en étendue comme en ferveur. Les *Mémoires* le signalent : « Dans un petit pays comme le nôtre où toutes les bonnes volontés sont largement mises à contribution, on n'écarte pas d'un seul coup les quémandeurs d'articles, de discours, de conférences, de présidences d'honneur, de préfaces, ces horreurs de ma vie ! » Tout tient dans cette exclamation, ou presque tout. Le principal, en tout cas : un petit pays peut-il s'offrir le luxe d'un savant historien ? Elle est sans doute symptomatique d'un état d'esprit, l'anecdote dans laquelle l'écrivain met en scène, assez plaisamment, le pétulant Jésuite qui se présente un jour chez lui pour le « sermonner ». Au dire du fébrile religieux, raconte l'écrivain, « je perds mon temps ; ma vocation véritable n'est pas l'histoire, mais l'action, rien que l'action. Le feu est à la maison ! Ma place est-elle sur le trottoir à regarder les pompiers?... La jeunesse m'appelle, m'attend. Vais-je donc m'embourgeoiser?» Un petit pays veut un combattant de première ligne. Ou bien, à la rigueur, un historien de combat: de cette nécessité, le tempérament de Lionel Groulx paraît s'accommoder fort volontiers. Dès 1928, il porte son attention sur l'histoire de l'enseignement français au Québec et chez les minorités francophones d'outre-frontières: «Histoire, dit-il, que je n'ai pas encore fouillée, mais que je sais remplie de luttes.» Il y consacre les années 1928 à 1930. De 1930 à 1933, il se penche sur la période bouillante de l'Union.

En 1933-1934, il prend un virage inattendu et conduit ses disciples dans le paysage relativement calme du début du régime français, à l'époque de la découverte du Canada. Le moment lui paraît bien choisi: les Canadiens s'apprêtent à célébrer le quatrième centenaire du premier voyage de Jacques Cartier. Il publie ses leçons sous forme de volume. Ce sera, pense-t-il et son éditeur avec lui, «le livre du centenaire». L'accueil est pourtant frais: la «presse libre» en parle; la «grande presse», point. Demi-succès, demi-échec. L'auteur se demande pourquoi. S'agirait-il d'un silence concerté? La froideur qu'il sent tomber sur ce livre tiendrait-elle à la «réputation suspecte» que valent à l'historien certaines de ses conférences et ses liens avec le mouvement des Jeunes-Canada? Quant à lui, il juge très bien son ouvrage: «Il n'apportait rien de très neuf. Il situait néanmoins la découverte du Canada dans la conjoncture historique du XVIe siècle; sur le personnage de Jacques Cartier et sur ses voyages, il mettait au point les dernières acquisitions de l'histoire.» En somme, de la sérieuse, de l'excellente vulgarisation. Trop sérieuse, trop visiblement appuyée sur une solide érudition: ce n'est pas ce qu'attend de lui son public habituel de jeunes activistes et de vieux lutteurs. La vérité — facile à dégager maintenant que l'observateur dispose du recul nécessaire — semble bien être que ce livre connaît, à petit bruit, la carrière normale d'une étude historique de bonne qualité.

Mais Lionel Groulx ne goûte que médiocrement les succès d'estime. Il se reprend l'année suivante. Pour célébrer le quatre centième anniversaire du passage de Cartier dans l'île de Montréal, une société organise une grande manifestation comportant une conférence de l'historien. Il ne s'agit pas d'une société savante, mais de la Société Saint-Jean-Baptiste. Ce soir-là, la salle du Monument National est bondée. L'auditoire, notent les *Mémoires*, écoute «dévotement». C'est que l'orateur se surpasse: «Au Canada tel fut, à son début, le rêve français. De ce rêve, qu'avons-nous fait?... Pauvre peuple! Que n'est-il possible, ce soir, de faire passer, sur ton front penché et blasé, un peu du vent qui soufflait dans les vergues de l'*Émérillon* et de la *Grande Hermine*, vent enivrant et large comme le rêve des forts!... Ta vie, voilà soixante ans qu'on la fait tourner autour d'une boîte à scrutin.» En finale sonne un appel à la jeunesse: «...Jeunesse qui vois plus clair parce que tu as plus souffert, je t'en supplie, prends, de nos problèmes, non plus la vue mesquine ou morcelée qui a tant dispersé notre effort, mais la vue compréhensive, ordonnée, principe de l'action forte, triomphante. Ton idéal, ton labeur, place-les sur un plan si haut que n'aient plus chance ni moyen de se diviser que les petits hommes. Et surtout sois jeune et sache la puissance de la jeunesse...» Jacques Cartier en devient intéressant. La Société Saint-Jean-Baptiste insère ce texte dans un petit volume diffusé «en hommage au découvreur du Canada, octobre 1535-1935». Et l'écrivain revient aux sujets chauds. En 1936, il livre au public *Notre maître, le passé* (deuxième série). Il y est beaucoup question des Patriotes de 1837, dont le centenaire approche. Entre autres morceaux, l'auteur y réimprime l'entrevue qu'Arthur Laurendeau était allé lui « arracher » en vacances pour la faire paraître dans une livraison alors récente de *L'Action nationale*. Les lecteurs se jettent sur ce livre. La critique le couvre d'éloges. Bien qu'il développe des thèmes propices à la controverse ? Non : à cause de cela même. À cette occasion, Claude-Henri Grignon, dans ses *Pamphlets*, conclut à la supériorité de son contemporain sur Garneau : « L'abbé Groulx est seul. Il règne. Il domine. » Les *Mémoires* reproduisent cette appréciation.

Induit en pareille tentation, emporté dans semblable tornade, comment voudrait-on que cet homme public se recueillît dans le silence et le labeur continu que demandait l'édification de son *magnum opus* ? Il avait beau s'y efforcer, son temps ne le voulait pas. Son temps : je veux dire ce que, de son époque, porté par sa tradition, il peut accepter et choisit d'accueillir. Un brillant épisode de sa vie nous en donne un aperçu. En janvier-mars 1931, il fait un nouveau voyage en France, non plus, cette fois, en qualité d'élève, mais de maître : le voici conférencier de l'Institut scientifique franco-canadien. À la Sorbonne, il entretient ses auditeurs — nombreux, fidèles, attentifs, enchantés — de l'enseignement français au Canada. Il parle aussi à l'Institut catholique et aux Facultés de Lyon et de Lille avec le même succès. Il voit René Bazin, Louis Gillet, Firmin Roz, Émile Lauvrière, le cardinal Baudrillart, Émile Baumann, les Jésuites des *Études*, Mgr Gerlier... C'est là son milieu d'élection. Il a mis à son programme des visites « aux historiens, du moins aux plus huppés, aux gloires régnantes ». Au cours d'un déjeuner, il confie à la fille de Pierre de La Gorce son souhait d'interroger le vieil académicien sur sa méthode de travail.

« Sa méthode ? lui répond Mlle de La Gorce. Gardez-vous en bien ; je crois vraiment qu'il n'en a aucune. » Boutade qui semble près de n'en être pas une : si l'on en croit les *Mémoires*, qui les rapportent, les propos que l'abbé tire du célèbre écrivain sont d'une solennelle banalité. Mais il tenait à lui parler. Il lui voue une admiration déjà ancienne : les livres de La Gorce ne figurent-ils pas parmi ceux qui, dès 1915, initient l'historien débutant à son mystérieux métier ? Au sortir de cet entretien et de celui qu'il obtient aussi de Georges Goyau, il reste persuadé que « l'histoire scientifique » est celle « qui tend à se définir par la multiplicité des notes ou références au bas des pages ». Impression des années trente ou du milieu des années quarante ? Il reste difficile de le savoir.

Avec Goyau, d'après ce que retiennent les *Mémoires*, Lionel Groulx casse du sucre sur le dos de « la nouvelle école historique ». Quelle nouvelle école ? S'agirait-il de celle qu'a illustrée un Seignobos ? Mais, en 1931, Ch. Seignobos est un vieux monsieur de soixante-dix-sept ans. Une nouvelle école, à la vérité, il y en a une, et elle se révèle tout de suite aussi vigoureuse que propre à grouper autour d'elle les passionnés d'histoire. C'est celle des *Annales*, créées en 1929 par Lucien Febvre — l'exact contemporain de Groulx, né, lui aussi, en 1878 — et par Marc Bloch qui, précisément en 1931, publie ses *Caractères originaux de l'histoire rurale française*. Ni la curiosité ni, encore moins, la sympathie ne poussent alors le conférencier canadien de ce côté, qui est aussi celui d'Henri Berr et du Centre de synthèse historique. Les écrivains auxquels il se lie ont beau avoir un public, qu'il identifie au « meilleur monde », ils se voient déjà refoulés sur les marges de l'histoire vivante, qui se développera sans eux, ou presque. Il est vrai que les *Annales* sont encore à ce moment l'organe d'une chapelle, bientôt promue, toutefois, au statut d'église militante, avant de s'épanouir dans la dignité sereine d'une église triomphante. Mais nous dépassons maintenant, par anticipation, l'horizon de 1950. C'est à la fin de cette décennie que Lionel Groulx aborde le beau livre d'Henri-Irénée Marrou, *De la connaissance historique*; il porte le plus vif intérêt à l'œuvre de ce sage nourri de saint Augustin, qui ne laisse pas d'être au courant de tout ce qui éclôt, et au moment même de l'éclosion, dans le vaste et fertile domaine des recherches sur la méthode. Pourtant, c'est Pierre de La Gorce qui reçoit le dernier hommage qu'il aura rendu à un maître, dans un article terminé la veille même de sa mort.

Au cours des dix années consécutives à 1930, outre *La Découverte du Canada*, Lionel Groulx publie les deux tomes de *L'Enseignement français au Canada* (à quoi s'ajoute, à Paris, *Le Français au Canada*) et la deuxième «série» de *Notre maître, le passé*. Pour un autre bon écrivain québécois, ce serait là une production moyenne. Pour lui, c'est peu. C'est ce qu'il donne en tant qu'historien, en plus, ici et là, de quelques pages éparses. Mais c'est loin d'être tout ce qu'il écrit. Dans l'autre part de son œuvre, dans l'autre plateau de la balance, s'accumulent les articles de doctrine ou d'actualité, les brochures, les conférences surtout. Le second plateau est décidément plus lourd que le premier. Commentant un essai historique de Montalembert, Taine parle de «ceux qui aiment mieux la politique que l'histoire» et il poursuit: «Pour moi, qui aime fort peu la politique et beaucoup l'histoire»... Le Groulx des années d'avant-guerre ne pourrait pas faire siennes ces dernières paroles. La politique l'envahit: non pas la politique électorale, encore que certains des «nationalistes» qui s'y adonnent se recrutent souvent parmi ses disciples, mais la politique au niveau des « orientations » nationales, celle qu'il propose à la jeunesse en l'invitant à l'action, celle qu'il médite et tire de l'histoire un peu comme Bossuet la tirait « des paroles mêmes » de l'Écriture. L'attire aussi, sans doute, l'engrenage de ce que Michelet appelle « les petits succès », mais dans une mesure que ne paraît pas dépasser beaucoup celle de l'attrait qu'éprouve tout homme à qui il arrive de goûter au succès.

Entrant dans la décennie quarante, il la juge « mélancolique pour cette part, cette large part d'inachevé que je n'aurai cessé de déplorer dans l'œuvre capitale de ma vie: l'histoire ». La pente s'avère désormais irrésistible. C'est, pour emprunter son expression, celle de « l'effroyable éparpillement ». Que de conférences! Que d'articles dispersés à tous vents, sous sa signature ou sous des pseudonymes! C'est tout de même, débordant quelque peu sur la décennie suivante, la période la plus riche, peut-être, de sa vie d'historien partagé.

À la fin de 1946, il fonde l'Institut d'histoire de l'Amérique française et crée sa *Revue*. L'Institut n'a presque rien d'une école. Ce n'est pas surtout une conception commune du métier qui rassemble ses membres. C'est Lionel Groulx. Entre les collègues, tous ses cadets, qu'il réunit chez lui, son autorité, sa personnalité et la largeur de son accueil constituent, à vrai dire, les seuls liens. Sans les générosités et les fidélités que son nom parvient à grouper, la *Revue* ne pourrait même pas naître. Or, elle durera. L'Institut porte bien l'empreinte de son créateur. D'abord, dans son style de vieux lutteur, celui-ci le lance comme un défi. Il annonce son projet dans une conférence, et un 24 juin. Depuis longtemps, déclare-t-il, il avait cette idée en tête et il ne s'est résigné à en ajourner la réalisation qu'en raison des « conditions misérables » dans lesquelles les historiens en sont réduits à travailler. Il se redresse: l'Institut, il le fondera « dans la pauvreté, puisqu'il n'y a que ces fondations, chez nous, qui réussissent ». Puis la suite sera encore un combat. Le quatrième tome des *Mémoires* consacre quinze pages aux premières années de la société et de sa revue; de ce nombre, huit racontent, à grand renfort de pièces documentaires, la polémique qui oppose, en 1948, le président de l'Institut au secrétaire de la Province; celui-ci avait plus que laissé espérer à celui-là une subvention de cinq cents dollars, supprimée après avoir été décidée, mais avant d'être versée, dans des circonstances pittoresques qui relèvent de la mauvaise comédie de moeurs politiques et administratives. Il faudra attendre la mise en place du ministère des Affaires culturelles pour que l'œuvre bénéficie de l'aide de l'État. Pendant la traversée de ce désert, son fondateur la porte à bout de bras. Elle vit littéralement de son hospitalité, de son travail, de son prestige et de ses amis. Les années s'écoulent, austères, mais fructueuses, régulièrement ponctuées de quatre livraisons de la *Revue*, cependant que l'évolution de l'enseignement supérieur prépare au périodique une équipe de rédaction et une communauté de lecteurs enfin disposée, les temps ayant changé, à se rassembler éventuellement autour d'un foyer de recherches historiques et non plus avant tout autour d'un grand nom. Il aura ouvert ce qu'on pourrait désigner après lui comme un des chemins de l'avenir.

En 1949, il quitte l'Université de Montréal dans l'écho feutré d'une autre dispute occasionnée, cette fois, par la négociation de sa pension de retraite. Les *Mémoires* présentent, de cet épisode, un récit détaillé, étayé de pièces justificatives. Tristesse. Morosité d'un milieu réduit aux dimensions d'un petit panier de crabes. Mélancolie qu'accroît la perspective désolée de la voie d'évitement où se prolonge dans l'anonymat, durant combien d'années, on ne sait, l'attente silencieuse et inutile du dernier convoi, celui qui est funèbre et sans retour: « Il me parut que je sortais tout de bon de la vie publique ou active. » L'aveu ne surprend pas — vie publique égale vie active —, mais il frappe. Il frappe d'autant plus que, le chanoine l'avait écrit à son recteur, « après trente-quatre ans de service », il souhaitait avoir de quoi « continuer en paix [son] travail ». Il prévoit donc, un moment, se renfermer dans ses travaux. C'est assez mal se connaître. Lui-même l'a-t-il oublié? il reste « un animal d'action ». Ce retraité ne s'efface pas. Sa signature apparaît dans la *Revue d'histoire de l'Amérique française*, dans *Relations*, dans *L'Action nationale*... Un recueil de discours et d'articles, *L'Indépendance du Canada*, sort des presses en 1949. Les conférences se succèdent: à Valleyfield, à Saint-Césaire, à l'École normale Jacques-Cartier, devant un auditoire de scouts, ailleurs encore et encore devant d'autres publics.

Se présente alors la grande occasion d'écrire sur l'histoire — non: d'écrire l'*Histoire* gardée en réserve depuis tant d'années. La Société Saint-Jean-Baptiste lui organise une série de cent causeries à la radio; enregistrées sur disque, elles passent à Montréal, tournent dans des stations de province et atteignent jusqu'aux collectivités francophones du Nouveau-Brunswick, de l'Ontario, du Manitoba et de l'Alberta. Jamais le conférencier n'a tenu aussi longtemps un auditoire aussi nombreux. La série n'est pas terminée que, déjà, une tranche en est publiée sous forme de volume: c'est le premier tome de cette *Histoire du Canada français* qui en comptera quatre, le dernier paraissant le 6 novembre 1952. Sans la tribune que procurent les causeries et sans la rencontre hebdomadaire avec l'auditoire invisible, mais toujours présent, cet ouvrage aurait-il jamais vu le jour? Il est permis d'en douter. Il y a donc lieu de se réjouir que la diffusion de la parole ait provoqué la naissance de l'écrit. On n'en reste pas moins persuadé que l'auteur aurait pu produire une synthèse encore plus puissante que celle-là. L'ouvrage se ressent d'avoir en premier lieu emprunté la voie des ondes. Son ordonnance, sa forme, sa substance même, tout porte la marque de la radio. Une contrainte, en particulier, a laissé des traces ineffaçables, et c'est la cadence à laquelle a dû obéir la rédaction du texte, quelle qu'ait été la complexité des problèmes à traiter. Cela dit, on admire le tour de force. L'œuvre est là, avec sa valeur, qui est grande. Qui mesurera le vide que l'absence de ce livre aurait laissé dans l'historiographie québécoise? L'écrivain y a jeté l'expérience de trente-cinq ans d'enseignement; il faudrait plutôt dire: de ses quarante-cinq ans de magistère. Et il y aurait le plus grand intérêt à identifier ce qui subsiste, dans cet ouvrage des années cinquante, du manuel que le jeune abbé avait préparé, en 1905, à l'usage de ses rhétoriciens de Valleyfield. Plus qu'un fantôme, serais-je prêt à parier, un esprit.

À compter de 1947, Lionel Groulx entretient avec l'histoire un commerce constant par la revue qu'il dirige. Mais une large part, la plus considérable sans aucun doute, de son inépuisable activité se répand encore en articles, en brochures, en discours et en conférences. On le voit, on l'entend partout: à Montréal, à Québec, à Trois-Rivières, à Boston, à Chicoutimi, à Nicolet, à Saint-Hyacinthe... C'est à peine si, sous le poids de ses causeries à la radio, il marque un temps d'arrêt en 1951. Et il continue à publier des livres dans lesquels il réunit ses principaux textes. En 1958, il en donne un sur l'histoire, à l'enseigne de *Notre grande aventure*, long essai consacré à l'expansion de la Nouvelle-France, de 1535 à 1760. Nous savons dans quelle perspective il l'a conçu. «*Notre grande aventure*, précise-t-il dans ses *Mémoires*, n'obtint point le succès que j'avais espéré.» Au fond, c'est un peu l'épisode du *Jacques Cartier* de 1934 qui se reproduit, mais dans une ambiance encore plus déroutante. La roue du temps a tourné avec une vitesse croissante depuis le début de la décennie. À quatre-vingts ans, l'écrivain fait maintenant figure de patriarche. Sa stature est plus haute que jamais. Il entre, il est entré dans l'histoire. Il est lui-même devenu personnage historique. Il fait figure de classique au sens propre, puisqu'on l'étudie en classe. En marquant une époque, un personnage historique et un classique se confondent avec elle. Or, un temps nouveau s'annonce. Tous, aujourd'hui, s'accordent à reconnaître ce qu'on pressentait dès lors: 1960 marque un point de départ. C'est assez légèrement dit, mais il faut saisir ce qu'il y a d'atroce pour celui qui passe avec son temps, fût-ce en pleine gloire, dans l'expression même de «point de départ».

L'auteur explique: «L'ouvrage paraissait à mauvaise heure. Une sorte de rage sévissait alors: celle de saborder, de jeter par-dessus bord le passé canadien-français. Une jeune école d'historiens fauchaient gaillardement toutes les têtes qui lui paraissaient dépasser l'honnête médiocrité.» Les *Mémoires* relient ce qu'on vient de lire à une autre dénonciation de l'historien, fulminée trois ans plus tard pour condamner «ce pessimisme amer, cette rage dont semblent possédés quelques jeunes esprits de chez nous, rage de tout saborder, foi, Église, histoire, rage aussi de nous diminuer, de nous avilir»... Dix fois, vingt fois, des pages des *Mémoires*, partent des attaques contre «les jeunes historiens». Ceux-ci ne sont pas encore nés qu'ils sont déjà fautifs. Le 9 novembre 1941, l'écrivain prononce une belle conférence, ensuite publiée en brochure sous le titre de *Notre mission française* ; c'était, dans l'esprit de l'orateur, une réponse à un journaliste qui avait eu l'esprit de nier que les Canadiens français possédassent une histoire, fussent investis d'une mission. On lit à ce propos dans les *Mémoires* : « Ce jeune journaliste n'était au surplus que le gramophone de quelques jeunes historiens, déjà grimpés sur le Sinaï, et qui proféraient, depuis quelque temps, d'aussi réjouissants oracles. » Catholiques peu éclairés, « esprits de primaires, en outre », voilà comment Lionel Groulx complète la présentation de ces garnements. En ce temps-là — on est bien en 1941 —, ils n'ont pourtant guère plus de vingt ans, leurs études, qu'ils voudraient être plus assurés de terminer, les absorbent, et la prosaïque vérité oblige à dire qu'ils sont d'assez bons élèves, généralement sages ou, ce qui, dans une certaine perspective, revient au même, tout à fait silencieux. Plus tard, quand ils parleront — un peu haut, c'est vrai ; un peu sec, sans doute —, ils verront sans grande surprise leur « pessimisme » condamné à la fois par leur maître et par ses contradicteurs, qui sont à *Cité libre* et à l'Université Laval ; cependant que, d'un côté, on les taxera de super-nationalisme et d'« ethnocentrisme », de l'autre, Lionel Groulx les accusera de « dévaloriser le passé ».

Il est indispensable, au-delà de l'anecdote, de considérer un instant la situation qui met en conflit d'idées le vieux maître et la petite équipe qu'il condamne. Cette situation peut se réduire à des données simples. Le désaccord éclate au sujet de la Conquête et de ses conséquences. Pour les « jeunes historiens », une défaite défait ; ce que 1760 a défait, 1867 ne l'a pas refait ; ce qui a été détruit n'a pas été reconstruit. Cela, c'est l'occasion de la dispute. Pour le fond, aux yeux des mêmes « jeunes historiens », étudier l'évolution du Canada français, c'est démêler, dans le temps, les éléments de la conjoncture historique de laquelle le Québec s'efforce d'émerger; c'est poursuivre méthodiquement cette recherche à la lumière de l'expérience occidentale, et notamment d'expériences qui ont réussi en Amérique. (Schéma, on le comprendra, réduit ici à sa plus simple expression.) Cette méthode et les hypothèses de travail à partir desquelles elle est mise en application ne manquent pas d'avoir des retombées sur la cote de certaines idées reçues, qu'il s'agisse du rôle privilégié des grands hommes et des héros militaires ou parlementaires; de l'importance de l'agriculture et de la vertu — deux notions devenues, en pratique, à peu près interchangeables — dans la création du Canada avant la Conquête et dans sa survivance au XIXe siècle; du « miracle canadien » et de la mission providentielle de la « race » française en Amérique... Surtout, voyant dans l'histoire une science sociale, la nouvelle école situe ses investigations au niveau de l'évolution collective, s'interdit tout glissement du cas individuel au fait général et cherche à s'aligner sur ce qui constitue la règle plutôt que sur ce qui fait exception. La rapidité relative avec laquelle s'est répandue cette façon de poser les problèmes historiques du Québec, malgré la vivacité des réactions qu'elle a suscitées chez Lionel Groulx et bien d'autres, porterait à croire qu'elle répondait à un besoin, à une inquiétude, à une attente. Il paraît difficile de nier qu'elle ait contribué chez nous, fonction que Malraux attribue à l'histoire, à faire d'une aventure humaine un destin. Sa fortune, incontestable, semblerait indiquer qu'elle est une formule provisoire, comme toutes les formules de cet ordre, née des interrogations et des nécessités d'un temps. Au reste, il se trouve précisément qu'une autre génération d'historiens est née qui, par la suite, tout en donnant l'impression, peut-être excessive, de traverser actuellement une période de perplexité méthodologique, applique des procédés plus subtils que ceux de ses devanciers, procède à des analyses plus fines que celles d'hier, s'arme d'une érudition différente de celle de naguère et cherche, en somme, sans faire comme si le chemin parcouru n'avait pas été parcouru, des réponses évoluées à des questions qui ont évolué. Le contraire serait inquiétant.

La suite le fait bien voir. La faiblesse de l'écho qu'éveille *Notre grande aventure* tient beaucoup moins à l'influence de quelques «jeunes» iconoclastes qu'à la transformation rapide de l'opinion à presque tous les paliers de la société, y compris celui où loge l'écrivain, je veux dire le milieu ecclésiastique. Lionel Groulx publie en 1962 son dernier gros livre d'histoire, *Le Canada français missionnaire: une autre grande aventure*. Le sous-titre importe. En le choisissant l'auteur manifeste l'intention explicite de rattacher cette étude à son précédent ouvrage. Le «petit peuple vaincu» de 1760, lit-on dans la page liminaire, «prend place parmi les grands peuples missionnaires du monde. Son empire de jadis, il semble... qu'il le veuille reconstituer sur un plan supérieur, le plan spirituel cette fois, avec des frontières indéfiniment extensibles.» On se défend mal de voir là quelque confusion. Avant la Conquête, les Canadiens participaient à la colonisation d'une partie importante du Nouveau Monde. Jusqu'au lendemain de la guerre de 1914, l'écrivain en fait la remarque, «en Asie, en Afrique ou ailleurs, presque tous les missionnaires [canadiens-français] faisaient œuvre anonyme en des sociétés religieuses étrangères» — formant donc ainsi des unités non identifiées dans des contingents relevant de diverses hiérarchies nationales. Par la suite, leur œuvre, ainsi qu'il le dit lui-même, constitue «l'un des grands chapitres, non seulement de l'histoire de l'Église et du Canada français, mais encore de tout le pays canadien». On ne voit vraiment pas bien quel lien peut exister entre les faits que cette étude rassemble et l'histoire de l'empire français d'Amérique. Il y a plus. Le livre du chanoine paraît au moment où la décolonisation triomphe. Les religieux canadiens-français poursuivent de plus en plus leurs travaux auprès de populations dont le statut politique est supérieur à celui du peuple dont ils sont issus ; des provinciaux vont aider des nations souveraines. Un aspect de leur situation est révélateur. Ils représentent, observe l'auteur, une « élite intellectuelle » : en 1961, ne sont-ils pas 1 840 sur un total de quelque 5 000 à posséder soit des titres universitaires, soit des certificats de compétence ? Ce qui nous oblige à constater que les nations qui les accueillent ont à l'égard de la qualité des enseignants des exigences plus rigoureuses que celles dont s'accommode alors leur province d'origine. Voilà, on est contraint de l'observer, à quel genre de réflexions mène la confusion entre l'ordre de l'apostolat chrétien et l'ordre des préoccupations nationales.

Là n'est pas, cependant, ce qu'il y a de plus remarquable dans cet ouvrage. Ce que l'auteur a tenu lui-même à faire ressortir, c'est la signification qu'il attachait à sa publication. Le lancement du livre se fit avec éclat, le 28 mai 1962, au cours d'un dîner de mille couverts. À la table d'honneur, présidée par le cardinal-archevêque de Montréal, s'alignaient, rapporte l'écrivain, « quelques-uns de nos évêques, un ministre, représentant le gouvernement du Québec, le maire de Montréal, Jean Drapeau, ... et dans leur costume, des évêques de nos missions et même un évêque noir ». Après le cardinal et le ministre, l'historien prend la parole. Il est très ému, persuadé « de prononcer le dernier discours de [sa] vie, de dire adieu tout de bon à la vie publique ». Une fois de plus, « je me livrai, dit-il, à une défense de ma conception de l'Histoire». Une défense? Le morceau apparaît plutôt comme une violente sortie contre certaine école. Les *Mémoires* citent d'importants extraits de cette allocution:

> ...Je n'ai jamais cru, voyez-vous, qu'on doive écrire l'histoire autrement qu'on ne la trouve, ni que sous prétexte d'un renouvellement ou d'une nouvelle interprétation, chose en soi légitime, on puisse se permettre d'enjamber les textes et de réinventer le passé à sa façon... Je n'ai rien écrit, ni rien affirmé que sur des documents et des témoignages précis, témoignages de gens par trop modestes pour avoir envie de tromper. Car je crois à la sincérité des humbles, tout comme je crois à la sincérité de ceux-là qui n'ont pas besoin de se hisser sur la pointe des pieds pour paraître grands. Quoi qu'en pense une génération de jeunes désabusés qui voudraient tout ramener à leur taille de Lilliputiens, je n'admets point que soit close l'ère des héros et des saints... Souvent, en feuilletant mon amas de documents si palpitants de vie, l'avouerai-je encore, j'ai senti battre le cœur d'un petit peuple qui se retrouvait dans ce qu'il a de meilleur: le vieux fonds de sa foi... Mais voilà que *advesperascit et inclinata est jam dies*. Les ans m'obligent à me rappeler que le crépuscule s'en vient. Souffrez que je quitte la scène avant qu'on me tire le rideau. Oh! je sais bien que l'illusion de savoir encore ce que l'on dit est la dernière illusion dont se dépouille le front des vieillards. Mais cette dernière illusion, je voudrais tant l'avoir perdue avant qu'on m'en avertisse. D'ailleurs, entre nous, s'il ne s'agit que d'écrire un peu plus de sottises, il y en a tant d'autres, ce me semble, qui pourraient avantageusement me remplacer.

Éclat sans lendemain. Malgré des éloges (mérités) de la part de M. Victor Barbeau, de M. Jean Éthier-Blais et d'André Thérive, l'ouvrage tomba dans une indifférence presque générale; l'auteur dit qu'il «colla sur les tablettes des librairies». Même les communautés missionnaires parurent le bouder. L'épiscopat, à qui l'éditeur en fit le service, «resta muet». L'historien en demeura ulcéré. Comme il l'avait dit au sujet de *Notre grande aventure*, il répète que *Le Canada français missionnaire* «paraissait à mauvaise heure». Rien de plus juste. La grande figure publique pouvait toujours réunir autour d'elle mille convives désireux de l'acclamer. Leur hommage s'adressait moins à l'auteur d'un livre qu'ils ne liraient pas qu'à un sage, à un prestigieux entraîneur d'hommes et à un infatigable combattant. Le personnage historique avait déjà absorbé l'historien.

Il semble y avoir à cela trois raisons. En premier lieu, les temps étaient changés. Parmi ceux qu'intéresse l'histoire vers 1960, les incantations des années trente, et même celles qui éveillaient encore des résonances étendues au début de la décennie cinquante, atteignent maintenant des oreilles moins irrespectueuses qu'inattentives. Que la Nouvelle-France ait nourri les héros chantés dans *Notre grande aventure*, le public québécois ne le contredit pas, mais il pense à autre chose. Que le clergé fournisse des missionnaires dont les travaux illustrent «tout le pays canadien», le même public n'y objecte rien ou si peu; simplement, à l'heure où s'élève le grand débat sur l'éducation au Québec, la compétence et le beau dévouement des enseignants que l'Église canadienne disperse à travers les continents ont moins d'intérêt à ses yeux que la réforme qui se prépare ici même dans l'instruction publique. Si élevées et si profondément empreintes de noblesse que soient les vues exprimées par l'écrivain à l'occasion de ses incursions dans l'histoire, elles sont devenues, aux yeux du plus grand nombre, vues d'essayiste et d'homme d'action.

Ensuite, le style et les préoccupations des historiens ont changé. C'était inévitable (ils changeront encore). Était-il nécessaire que cette évolution provoquât de l'aigreur? Le mot de Lucien Febvre se vérifie partout: «À l'origine de toute acquisition scientifique, il y a le non-conformisme. Les progrès de la Science sont fruits de la discorde.» Du point de vue du métier, le dialogue n'est pas possible entre ceux qui ont eu cinquante ans en 1930 et ceux qui ont trente ans en 1950. Quarante ans d'âge les séparent, à quoi s'ajoute, décisive, la ligne de partage de la dernière guerre. L'un dit: passé; les autres: histoire, et ces deux mots, synonymes pour les hommes de 1910, ne coïncident plus dans l'esprit de ceux de 1950. Ces derniers ne songeraient jamais à se représenter l'histoire comme un «monstre au froid visage». Ils la pratiquent comme une discipline, scientifique dans ses méthodes, conçue pour étudier d'un certain angle des problèmes humains, en liaison avec d'autres sciences sociales. Ils y sont venus librement et peuvent librement s'en éloigner. Ils ne subiraient pas l'attrait d'un monstre: ils ne seraient d'ailleurs pas si intrépides qu'un monstre ne leur fît une peur affreuse. Nulle part, et non seulement au Québec, il n'était concevable qu'après 1950 le travail historique continuât à s'effectuer d'après des données et en vue d'objectifs qu'atteignait déjà dans les années trente la loi des rendements décroissants.

Enfin, à l'histoire, dans sa vie, Lionel Groulx avait fait une part. Part relativement tardive et relativement étroite par rapport à celle de l'éveilleur qu'il voulut être et qu'il fut après comme avant 1915. Il avait opté pour une vocation: agir sur les âmes, et adopté une formule: la croisade. Ses supérieurs lui imposent une fonction: historien. Il la remplira loyalement. Il y prendra goût. Mais les impératifs de la fonction ne font pas taire ceux de la vocation. À l'appel de celle-ci, s'additionnent les sollicitations du mouvement nationaliste et celles de toute une jeunesse. Son public, son vaste public, préfère ses paroles de combat à ses ouvrages d'histoire. Cet homme n'a pas à protéger la fraction de lui-même qu'il donne à l'action ; il lui faut défendre celle qu'à grands coups de volonté il ramène vers l'histoire. Le métier d'historien, il le sent bien, a des exigences énormes. Il demande de l'attention, de la continuité, de l'érudition. Il veut des points de comparaison. Il a besoin d'un milieu de recherche et de discussion. Elle est révélatrice, jusque dans le fait qu'elle se ressent d'une rédaction hâtive, la déclaration que fait l'écrivain au lancement de son *Histoire du Canada français* : « Je dois avouer, en effet, que je n'ai guère lu mes prédécesseurs, non certes par dédain ou mépris de ces méritants ouvriers, mais par souci de ne me laisser imposer ni leur façon de voir ou d'interpréter les faits. » Se connaîtrait-il si mal qu'il se crût à ce point impressionnable ? La vérité est qu'il n'a trouvé le temps de relire ni ses devanciers ni ses contemporains. Il prend ses distances à l'égard des uns et des autres. Il n'est pas question pour lui de s'insérer dans une série d'historiens. Sa place est dans la lignée des leaders nationaux. Le maître a cédé le pas au chef.

III

LE FEU DE L'ACTION

> ...Car ce fut moins un auteur d'ouvrages complets et parfaits en eux-mêmes qu'un homme de mouvement et d'influence; et la première des qualités de son génie se trouve encore l'à-propos.
>
> Sainte-Beuve

« Si j'avais pu, confiait Goethe, me retirer davantage de la vie publique et des affaires, si j'avais pu vivre davantage dans la solitude, j'aurais été plus heureux, et j'aurais fait aussi bien plus comme écrivain. » Retiré de la vie publique ou, simplement, quelque peu en retrait de l'actualité, Lionel Groulx aurait-il fait plus comme historien? Historien par devoir, ou plutôt et précisément par obéissance, parfois privé de succès d'historien, cependant que comblé de triomphes de tribune, maître d'une parole plus entraînante que savante et plus savante encore que scientifique, écrivant, dirigeant, soulevant, galvanisant, ne tenant pas en place, difficilement capable de supporter le silence, qu'il veut couvert par le grincement de la plume, le bourdonnement des presses et le bruit des applaudissements, l'homme, aux yeux de qui l'observe sans prévention — ni de trop près, on est gagné par sa chaleur; ni de trop loin, on est rebuté par ses pointes —, l'homme toujours pressé de terminer un texte et d'en préparer un autre n'aurait certes pu faire davantage, je veux dire: aller plus loin en tant qu'ouvrier de l'histoire. Il a eu des occasions de se ménager des haltes; il les a fuies. Il y avait toujours plus urgent à faire, une fois accompli honnêtement «le devoir d'état». Les années ne lui ont pas manqué, mais le temps; si les premières ne sont pas à prendre, le second l'est.

«Années d'action fiévreuse», disent déjà les *Mémoires* au sujet de la période 1900-1915. À vingt ans, le jeune homme prononce un discours académique, à l'occasion de la bénédiction de la nouvelle chapelle du Séminaire de Sainte-Thérèse. Une photo de l'époque, celle d'un solennel finissant, le montre la tête haute, le regard brillant et lointain, pas l'ombre d'un sourire — mais celle d'une moustache, forcément légère, accentue la mélancolie de la bouche. Depuis un an, il lui arrive d'envoyer au *Salaberry* de Valleyfield des articles qui témoignent de ses lectures plus que de son expérience, puisqu'ils traitent des grands problèmes internationaux. Naturellement, il taquine la muse, mais sur des thèmes sérieux: «Mon pays natal», «Le Chant d'un petit colon», «Mai, mois de Marie...» Cela, dans le secret de ses cahiers; mais, sous le pseudonyme de Lionel Montal, plus tard, il publiera en vers «Paysage d'hiver et paysage d'âme», «Vision d'hôpital», dont les *Mémoires* raconteront l'histoire sagement romanesque, et d'autres pièces encore: l'une d'entre elles, «La Leçon des érables», qui est de 1912, devient un morceau d'anthologie. En 1903, l'année de son ordination, il a en tête un roman dont le titre serait *La Bonne Semence* ou *Labour d'automne*[1]. Sa première conférence remonte à 1902; elle porte sur Henri Perreyve. D'autres suivent à compter de 1904. Les sujets, moraux et littéraires, sont d'un jeune ecclésiastique qui cherche sa voie: «Le Travail», «Le Célibat et la virginité», «Conseils de formation littéraire», «Une Croisade d'adolescents» (déjà), «Pascal». «La Préparation au rôle social» en 1905 et, l'année suivante, «L'Éducation de la volonté en vue du devoir social» ont les honneurs de la publication. Outre les conférences, quelques sermons: chez les Clarisses de Valleyfield, lors de la bénédiction d'une cloche; à Sainte-Anne de Tecumseh (Ontario), pour la fête de sainte Anne...

Les études à Rome et à Fribourg interrompent la carrière naissante de l'orateur. Redevenu élève, l'abbé fait des devoirs. En marge d'un de ces exercices littéraires, son maître, Pierre-Maurice Masson, inscrit ces commentaires d'une justesse saisissante, que reproduit le P. Genest: «Des connaissances, des lectures et une information en général exactes. De la personnalité, de l'élan, une certaine chaleur et vigueur combattive [*sic*]. Du goût, de la justesse et un vif intérêt pour les choses littéraires. Mais vous avez donné à votre dissertation l'allure d'un réquisitoire. Il faut toujours chercher à comprendre avant d'exécuter.» Mise en garde semée sur la pierre d'un dur caractère. C'est bien là Lionel Groulx. Il ne changera

---

1. Ces précisions et bien d'autres encore proviennent d'une excellente biobibliographie, *L'Oeuvre du chanoine Lionel Groulx*, publiée par l'Académie canadienne-française (Montréal, 1964), et de l'utile «tableau chronologique» du P. Jean Genest, «Une Vie de travail et d'amour», *L'Action nationale*, 57 (1968): 1039-1115. Deux bons instruments de recherche.

pas. Rentré d'Europe, il reprend la plume et la parole. Sa réputation de prédicateur déborde le cercle de sa petite ville: en 1909, sermon à Bellerive pour la fête de l'Immaculée-Conception; à Sainte-Anne-de-Bellevue, en 1910, homélie du 1er septembre, « La Noblesse chrétienne du travail » ; la même année, le 8 décembre, en la fête patronale de la maison, sermon à l'Université de Montréal sur « Les Devoirs de l'Université à l'égard de la vérité » ; à la cathédrale de Montréal, en 1911, homélie du premier dimanche du carême, « Jésus et les enfants » ; en 1913, à Saint-Hyacinthe, sermon à l'occasion de la fête de saint Thomas d'Aquin... Il écrit dans *Le Semeur* de l'A.C.J.C., livre, en 1912, un texte à un périodique parisien, la *Revue de la jeunesse*, publie, l'année suivante, une brochure, *Petite Histoire de Salaberry de Valleyfield*, et un article dans *La Nouvelle-France* de Québec; il est déjà auteur d'un volume, *Une Croisade d'adolescents*, paru en 1912. Il multiplie les conférences et les discours. On l'applaudit à Valleyfield, à Ottawa, à Trois-Rivières, à Montréal, à Québec, où, en 1912, au premier Congrès de la langue française, il parle de « La Tradition des lettres françaises au Canada », communication qui figure dans les *Actes* du Congrès, après avoir été reproduite dans *Le Devoir* ; à Québec encore, au Congrès de l'enseignement secondaire, en 1914, il présente à ses collègues un exposé sur « La Composition française » ; à Moncton, en 1915, il prononce un discours le 15 août, fête nationale des Acadiens.

Établi à Montréal cette année-là, « on ne me laisse guère le temps de chômer », se rappelle l'auteur des *Mémoires*. Il se lance dans la prédication: en juillet, sermon à l'église paroissiale de l'Immaculée-Conception; en septembre, retraite de commencement d'année scolaire au Mont-Sainte-Marie; en octobre, sermon aux élèves de l'Académie Saint-Jean-Baptiste; en décembre, triduum pour les religieuses de l'Académie Marie-Rose. C'est donc à un petit abbé fort répandu et très occupé que Mgr Bruchési fait le devoir d'enseigner l'histoire du Canada à l'Université de Montréal. Deux ans passent, puis s'ouvre la période de *L'Action française*, prodigieuse d'activité. Après l'effervescence des années trente, qui l'ont porté au sommet de sa popularité, l'écrivain embrasse d'un coup d'œil la décennie 1940-1950 et reconnaît: « Quel éparpillement! Et comment mettre un peu d'ordre dans tout cela? J'ai conscience d'avoir écrit peu d'articles, prononcé peu de discours qui ne m'aient été demandés, souvent arrachés par des amis, fort aimables, même obligeants, mais qui n'ont jamais su respecter ma tâche, mon devoir d'état. Combien de ces amis, du reste, angoissés par le spectacle de nos misères, se persuadaient que, du côté de l'histoire, ne résidait pas ma vocation. » Lorsqu'il atteint ses quatre-vingts ans, sa santé l'oblige à quelque ralentissement. Mais l'élan vient de trop loin, depuis trop longtemps. S'arrêter lui est impossible. « Je ne puis, raconte-t-il, écrire chaque jour que deux ou trois pages. Et encore ne puis-je écrire que ces souvenirs. Allons-y. Histoire de m'ennuyer un peu moins. » Les derniers mots ne laissent pas d'inquiéter quelque peu. On ne peut se défendre de songer à ce qu'évoque Chateaubriand dans sa *Vie de Rancé:* « Saint Jérôme portait, pour noyer sa pensée dans ses sueurs, des fardeaux de sable le long des steppes de la mer Morte. »

Qu'est-ce qui fait courir Lionel Groulx? Le temps d'abord, son temps, plus que d'autres, peut-être, inspirateur de pareils exercices. Le cas de l'abbé n'est pas unique. Celui d'Édouard Montpetit s'en approche. Né en 1881, l'économiste est presque du même âge que l'historien. Il part de moins loin que lui: son père est « homme de lettres ». Encore étudiant, c'est déjà une jeune célébrité. Au collège, il s'est créé « une réputation d'acteur ». Ces choses comptent au collège, et le collège compte alors dans la société. Ses goûts le portent vers le théâtre et les lettres. Mais le moyen d'en faire métier dans le Montréal de la Belle Époque? Il devient donc avocat et, dès 1907, professeur d'économie politique à la Faculté de droit. Nomination aussi prématurée que brillante: lui-même demande à faire à Paris un séjour d'étude, qui lui est accordé. Il part satisfait de pouvoir s'initier à une discipline qui, laisse-t-il tomber, « ne me déplaisait pas ». Il a aussi d'autres projets: « retrouver à Paris le reflet littéraire des événements économiques en suivant, sous la conduite de Charles Brun, l'évolution sociale du roman et du théâtre au dix-neuvième siècle: études perdues, inutilisables dans notre pays où tant d'autres problèmes nous sollicitent, et dont le souvenir enchante mon regret ». Faire carrière dans l'enseignement supérieur, le jeune homme le verra, c'est à peine plus possible que de vivre de sa plume. Comme les écrivains, les professeurs exercent un second métier dans la magistrature, dans la politique, dans le clergé. Ou bien, comme Montpetit, ils travaillent à la cadence de galériens; rivés à une chaire trente heures par semaine, ils enseignent une foule de matières, ils se dispersent, ils improvisent, ils s'improvisent.

Lionel Groulx juge normales, enviables même, ces conditions de travail. Les *Mémoires* présentent un Montpetit « gâté sinon gavé par les pouvoirs qui ne lui ont pas ménagé les fonctions lucratives: voyages d'enquête au Canada, en Europe, présidences de commissions; par surcroît professeur en plusieurs facultés, et, par cela même, professeur bien renté ». Et l'historien se demande ce qui manque à cet homme pour être heureux. Il lui manque le Sénat canadien, dont la porte lui reste fermée, ou une autre sinécure brillante à l'abri de laquelle il déploierait ses dons d'écrivain. Faute de quoi, il parle. À tout moment, outre ses cours, il fait une conférence, un discours, une présentation, un remerciement. Il joue en maître de sa belle voix, de sa belle tête, de sa belle phrase et de sa belle intelligence. Dispersion? Oui, et pis encore, émiettement d'une œuvre et d'une vie sous la pression des circonstances, par un enchaînement de conditions contraignantes comme une fatalité. On pourrait les évoquer à la douzaine, les contemporains de Lionel Groulx qui ont saupoudré de leur temps, de leurs énergies et de leur talent tout ce qu'ils touchaient et qui touchèrent à tout. Ainsi l'exigeaient les structures dans lesquelles ils se voyaient pris: structures de l'enseignement, de l'université, de toute la vie publique. Mais sans doute aussi, chez plusieurs de ces hommes, y avait-il le secret désir de briller partout. Édouard Montpetit et Lionel Groulx semblent bien avoir éprouvé cette ambition, et il ne paraît pas invraisemblable qu'elle ait correspondu à une incertitude, peut-être à un déchirement intérieur.

Qu'est-ce qui fait courir Lionel Groulx? Un sentiment d'urgence; le sentiment des urgences québécoises, ou canadiennes — canadiennes-françaises, si l'on veut. À sept ans, le petit garçon a les oreilles pleines des cris de colère impuissante que la pendaison de Louis Riel fait monter dans la gorge des siens. Le jeune homme a 21 ans lorsque Bourassa secoue la province scandalisée par la guerre des Boers: « Comme Canadien français, me souvenant du passé, n'oubliant pas la politique infâme qui a envoyé à l'échafaud des hommes libres qui demandaient pour leurs concitoyens les droits de sujets britanniques, je proteste contre la politique infâme que les hommes accidentellement au pouvoir font peser sur l'Afrique du Sud. » Étudiant en théologie, il s'est abonné à *La Vérité* de Jules-Paul Tardivel, même si son évêque, Mgr Fabre, esprit libéral, brocarde volontiers cette feuille zélée: « Au fond, réfléchit Tardivel, tout libéralisme, qu'il s'appelle anglais, français, italien, belge, espagnol ou canadien, constitue la même erreur. » L'abbé part pour l'Europe à vingt-huit ans. Alors, rapporte-t-il, « mon système d'idées, si jamais je me suis fabriqué quelque chose de cette sorte, était passablement arrêté ».

Sa culture théologique et sa culture politique se structurent et se développent inconsciemment sur le modèle de celles qu'élaborent les catholiques français dans les premières années de la Troisième République, la « République des Ducs », ainsi que la désigne si justement Daniel Halévy. Il touche à cette époque par sa naissance, il y entre par ses maîtres. Comme tant d'autres, il a eu pour professeurs des ecclésiastiques français qui avaient emporté dans leurs bagages le milieu catholique de leur jeunesse, avec ses combats, ses fidélités et ses ressentiments. Les Québécois, et lui avec eux, chantent alors et chanteront encore longtemps les cantiques de repentance agressive qu'ont fait retentir les fidèles d'outre-mer: « Pardonnez à la France, au nom du Sacré-Cœur ! » (quelques variantes: « Sauvez Rome et la France, au nom du Sacré-Cœur ! » ou « Pardonnez notre offense... »). Chez le comte de Cuverville, il admire la dévotion au Sacré-Cœur, si répandue de part et d'autre de l'Atlantique. Il passe une nuit d'adoration à la basilique de Montmartre, œuvre de la même époque. De la même époque encore, date la renaissance des pèlerinages, pratique qui a un sens religieux d'abord, mais aussi plus que religieux: politique, et politique d'obédience royaliste; l'abbé Groulx se rend à ces lieux de prière et de rassemblement: Lourdes, la Salette. Il éprouve personnellement, nous le savons, les désagréments nés du combisme. Il traverse le vieux pays presque à la veille de la campagne d'opinion que Barrès se dispose à déclencher avec *La Grande Pitié des églises de France*. Comment aurait-il pu échapper à l'emprise de la droite catholique de France? On doit le croire lorsqu'il mentionne la méfiance que lui inspire Maurras; ce Grec d'anthologie n'a guère de quoi séduire tout à fait le petit prêtre dévot de Vaudreuil, encore qu'il prenne plaisir à lire *L'Action française* et qu'il invoque, à l'occasion, l'autorité du doctrinaire. Mais Veuillot — «une des plus grandes figures des temps modernes, ... le plus puissant écrivain de ce siècle, le père du journalisme catholique», disait Tardivel —, et après Veuillot, Barrès (malgré *Le Culte du moi* et quelques autres choses), et après Barrès, Bainville et Gaxotte l'entraînent dans une direction assez bien définie, qui se prolongera du côté de chez Mussolini — ah! l'Italie récurée, disciplinée, ponctuelle et concordataire! —, de chez Franco, de chez Pétain. Et donc, vers 1910, puis dans les années vingt, et plus tard, et toujours, à vrai dire, dans un sens opposé à celui de la Sorbonne républicaine et positiviste. Or, cette droite entretient les sentiments d'urgence et de frustration inséparables des combats d'arrière-garde; elle est nerveuse et activiste, écrit beaucoup et parle sans arrêt.

Non seulement les sources de Lionel Groulx, mais ses habitudes d'esprit, ses idées de derrière la tête sont françaises, d'une certaine France. Il a beau passer par Londres, rapidement d'ailleurs, le monde anglo-saxon le rebute. Si, chez les historiens anglais, il a suivi ceux de Cambridge, s'il a connu l'œuvre de Lord Acton, catholique, pourtant, ce n'est que de très loin, et les *Mémoires* n'y font pas allusion. Quant aux États-Unis, laboratoire d'idées et de méthodes, où se constituera le plus formidable milieu scientifique du monde contemporain, il s'en fait une image proprement « effrayante ». Le colosse américain, demande-t-il dans un texte de 1928 que reproduisent ses *Orientations* (1935), « comment ne pas nous effrayer lorsque nous songeons à ce qui nous vient de lui : l'effroyable pourriture de son théâtre, le débraillé de ses magazines, le dévergondage de ses journaux monstres et de ses *tabloids*, le reportage effronté érigé en exploitation industrielle, l'appétence frénétique des drames criminels, la passion de les exploiter portée jusqu'au sadisme ; et comme conséquence manifeste de ces dissolvants, l'amoralisme en affaires et en politique, le culte de la richesse sans autre fin qu'elle-même, le relâchement des liens familiaux, la décadence rapide de l'éducation ? ». Peut-être, ce qui nous venait du « colosse », n'était-ce, après tout, que ce que nous lui demandions. Les propos de l'écrivain coulent dans le lit d'une intarissable tradition canadienne-française : n'est-ce pas Tardivel encore qui écrivait en 1900 : « ...On peut dire, en toute vérité, que, au contraire de la France, qui est la fille aînée de l'Église, la première nation fondée sur le droit chrétien, la République de Washington est la fille aînée de la franc-maçonnerie, la première nation établie sur les principes du naturalisme maçonnique » ?

Avec les Anglo-Canadiens, avec leurs livres surtout, l'écrivain n'a eu que des rapports superficiels. Leurs journalistes et leurs politiciens l'ont profondément déçu (c'est toujours ce qui arrive). Malgré tout, il a voulu croire à un rapprochement et même à un vouloir-vivre commun réalisés par l'intermédiaire des jeunes générations cultivées. La conférence de 1928, dont je viens de détacher quelques lignes sur les États-Unis, contient aussi ce passage :

> Un universitaire ontarien disait, il y a peu de mois, à un de nos jeunes amis : « Soyez persuadé que les

> Anglo-Canadiens font de ce temps-ci un effort héroïque pour vous comprendre. » ... Bien des points de vue se devraient modifier dans l'esprit des Anglo-Canadiens, du jour où n'étant plus que des citoyens du Canada ils cesseraient de lorgner le reste de leurs compatriotes des hauteurs de l'observatoire de Londres... Il est possible aussi que des vues plus hautes que des vues politiques contribuent au rapprochement en voie de se dessiner. Les protestants canadiens échappent-ils totalement aux aspirations vers l'unité qui, en Europe et en Amérique, travaillent à l'heure actuelle les Églises séparées?

Refrain connu, que l'on s'étonne d'entendre déjà aux temps lointains de la fin des années folles. Les jeunes intellectuels de bonne volonté qui avaient vingt ans à ce moment-là en ont aujourd'hui soixante-dix et plusieurs, sans aucun doute, sont morts, bien que ce ne soit pas, on peut le penser, leur « effort héroïque » qui ait abrégé leurs jours. Si Lionel Groulx avait connu les écrits anglo-canadiens comme il connaissait la littérature française et surtout l'histoire de celle-ci, s'il avait connu le milieu anglo-canadien comme il connaissait la droite traditionaliste de France, il se serait, c'est incontestable, épargné bien des illusions. Il n'a, semble-t-il, en dehors de l'influence déterminante de Bourassa, accepté et recherché d'inspirations que françaises, et encore n'étaient-ce que celles d'un canton de l'esprit.

Transposition au Québec de données françaises? Il importe de distinguer. Oui, dans la mesure où il s'invente plus d'idées et où celles-ci s'expriment avec plus de facilité, plus de prestige surtout, à Paris qu'à Montréal; non, en revanche, dans la mesure quand même considérable où les « nationalistes » canadiens-français doivent résoudre avec leurs seuls moyens, sinon toujours dans leurs propres termes, des problèmes que pose une situation historique tout à fait particulière et inconnue, incompréhensible même, en France. Ce n'est pas par hasard qu'il existe une *Action française* à Paris et une autre à Montréal. Mais cette dernière en est bien une autre. (Notons, à ce propos, une évolution — une maturation, si l'on veut — tellement naturelle qu'elle risquerait, faute d'attention, de nous échapper: aucun périodique québécois n'oserait aujourd'hui s'intituler *Le Monde.*)

On lit dans les *Mémoires*: « En 1917, ai-je besoin de le dire, je suis déjà nationaliste; je le suis depuis longtemps... » L'écrivain l'est, on peut en être certain, quand Olivar Asselin crée *Le Nationaliste* et que naît l'A.C.J.C. Dès 1905, il fonde dans son collège un « cercle » de l'Association et l'inaugure par un discours qui, bien que destiné à un public familier, n'en prend pas moins le ton solennel des grandes manifestations où l'orateur brillera si souvent plus tard. Dans ce texte, parmi des idées que Bourassa aurait pu développer, se détache une phrase où Lionel Groulx révèle sa propre personnalité: « J'écris, disait Ozanam qui, comme tant d'autres, avait remué bien des projets littéraires dans sa tête de vingt ans, parce que Dieu ne m'ayant pas donné la force de conduire une charrue, il faut néanmoins que j'obéisse à la loi du travail, que je fasse ma journée. » Il est nationaliste lorsque se constitue la Ligue des droits du français, qui deviendra la Ligue d'action française, puis la Ligue d'action nationale. Il suit avec ferveur l'action anti-impérialiste de Bourassa. C'est l'époque où le Canada moderne se construit sur le socle de l'Empire britannique. B.K. Sandwell paraît l'avoir caractérisée avec une singulière justesse lorsqu'il a observé qu'en 1900 la conception du XXe siècle que se faisaient presque tous les Canadiens était

« celle d'un plus gros et meilleur XIXe siècle, dans lequel le Canada, le dernier-né des enfants de celui-ci, allait jouer un rôle très important ». Presque tous les Canadiens ? En un sens oui, mais pour des raisons opposées. Dans l'esprit des uns, qui forment la majorité, majorité du nombre et de la puissance, le siècle qui vient de s'achever est celui de l'Empire sur lequel le soleil ne se couche jamais : au sein de cet Empire, et grâce à lui, s'est formée une jeune et vigoureuse communauté qui, dans ce monde britannique de tradition et de progrès, a le droit, si elle reste fidèle à des formules éprouvées, mais sagement évolutives, d'aspirer au plus magnifique avenir. Au rebours, dans l'esprit des autres, minorité incompréhensible et d'ailleurs divisée, ce même siècle a posé les jalons d'une voie, celle de l'autonomie, qu'il s'agit de parcourir jusqu'au terme de l'indépendance, en se détachant de cet Empire à leurs yeux étranger. Quand *Le Nationaliste* paraît, l'opinion anglophone y voit une feuille vouée à la « destruction de l'Empire » ; et ces mots se disent déjà avec l'accent scandalisé qui marquera, soixante-dix ans plus tard, l'évocation de la « destruction du Canada ». Le terrain est prêt pour le combat.

Les feux s'allument-ils « sur la colline » ? La majorité canadienne vole d'enthousiasme au secours de la mère-patrie britannique. D'abord, à la jointure des deux siècles, contre les Boers. Ceux-ci, expliquent les bons apôtres, piétinent les droits fondamentaux des immigrants « uitlanders », la plupart d'origine britannique. Viol d'un petit peuple, répliquent les francophones, guerre injuste, agression impérialiste ; les intérêts du Canada ne sont nullement engagés dans ce conflit. Aux Communes, Bourassa demande : « Si nous envoyons deux mille hommes et si nous dépensons deux millions pour combattre deux peuples dont la population totale s'élève à 250 000 âmes, combien d'hommes armerons-nous et combien de millions dépenserons-nous pour combattre une puissance de premier ordre ou une coalition internationale?» La réponse ne tardera pas. La guerre de 1914 appelle de nouveau le Canada au secours de la Grande-Bretagne — ou serait-ce aux côtés des Alliés, dans le camp du Droit et de la Démocratie? Retour offensif de l'impérialisme, rétorquent les leaders « nationalistes » canadiens-français, qui se cabrent et troublent la docilité populaire. Devant la « conscription », le peuple donne des signes non équivoques qu'il ne veut plus marcher. Ottawa le bouscule rudement: il y a du sang dans les rues de Québec au printemps de 1917.

C'est à partir de ce moment que Lionel Groulx entre décidément dans la lutte. Il n'en est pas tout à fait à ses premières armes. Mais il ne désarmera plus. En juillet 1917, il publie un article retentissant sur la Confédération. « Hélas! écrit-il, que diraient les Pères de la Confédération, si, pour un moment, ils réapparaissaient dans notre arène politique? Moins de cinquante ans ont suffi à leurs héritiers pour saboter le grand ouvrage. L'œuvre de destruction est presque achevée, et nous allons léguer à l'histoire l'un des exemples les plus saisissants des lamentables banqueroutes qui peuvent atteindre les unions fédératives. » L'auteur dénonce avec vivacité les causes de cet échec. Comment les voit-il? D'une part, à son avis, la majorité n'a pas respecté le principe en vertu duquel « l'autonomie des unités reste à la base de cette union fédérative ». D'autre part, elle ne s'est pas souciée de « parer au plus tôt au vice originel du pouvoir central si impuissant toujours à rallier aux fins communes les unités divergentes et à maintenir les droits mutuels ». Reproches contradictoires? Non pas, certes, dans son esprit. Pour lui, au lieu de demeurer les témoins indifférents, sinon complices, « de l'abdication habituelle du pouvoir central au moment des conflits» — entendons des conflits linguistiques —, les Canadiens, tous les Canadiens auraient dû avoir à coeur «de ne pas donner prise à la voracité du plus fort et de sauvegarder avant tout l'esprit du pacte, les principes d'autonomie qui ont fait la base de l'entente». Or, qu'ont-ils fait? Au lieu de compter sur les vieilles populations canadiennes pour créer une nation nouvelle, les dirigeants du Dominion, qui n'étaient pas «des hommes de premier plan», ont ouvert ses portes à «des hordes d'étrangers», Anglais surtout et Américains, ceux-ci devenant des «agents de pénétration» de leur patrie d'origine, ceux-là «toujours hypnotisés par la métropole» et disposés à subordonner à l'Angleterre leur pays d'adoption. C'est ainsi que le Canada est devenu «un état-serf de l'empire britannique». C'est ainsi que, sur le plan intérieur, la langue française a subi des assauts dans diverses provinces et que, cependant que l'on fête les cinquante ans de la Confédération, toutes les minorités francophones «doivent se battre non pas seulement pour l'un ou l'autre de leurs droits, mais pour le droit suprême de l'existence». Voilà déjà l'essentiel des idées qu'il défendra durant le demi-siècle qui vient.

Collaborateur de *L'Action française* à compter de février 1917, donc, deux mois après la fondation du périodique, il s'en voit confier la direction de 1920 à 1928. Avant de prendre la barre de la revue, il lui faut l'autorisation de son archevêque. «Acceptez, lui dit celui-ci. Je crois opportun qu'en ces entreprises d'action intellectuelle, de mes prêtres se mêlent aux laïcs.» C'est ce que rapportent les *Mémoires*. Ils ajoutent: «Je n'ai plus qu'à m'incliner.» Il ne met pas de temps à se redresser. Il va se battre. Cette période de huit ans occupe un gros quart des *Mémoires*. L'écrivain l'a aimée. Combien elle est «ardente, exaltante»! Il la juge ainsi: «Mais j'aimerais que l'on me fît voir, parmi toutes les tentatives de restauration française au Canada, et depuis 1760, un effort de pensée et d'action qui soit allé plus résolument aux problèmes essentiels, les ait étudiés avec un esprit plus désintéressé, aussi aigu et courageux, et, pour en assurer la solution, ait procédé avec autant d'entrain, autant de méthode et de persévérance. » Vers 1920, on doit le reconnaître, la « pensée » canadienne-française a besoin d'une sérieuse mise à jour.

Cette génération est la cinquième après la Conquête. Un siècle et demi de loyalisme, de pratique des institutions britanniques et d'adaptation aux usages du monde anglo-saxon n'ont pas été sans l'engager sur la voie de l'assimilation. Les milieux officiels sont, évidemment, de style britannique. Mais les résistants eux-mêmes... Il arrive qu'ils s'en aperçoivent ; ils en sont sidérés. Elle est typique, l'aventure de Tardivel qui, de passage à Londres, puis à Paris, se demande : « Comment se fait-il que je me trouve comme un poisson hors de l'eau, à Paris, tandis qu'à Londres j'étais chez moi au bout de quelques heures ? » Ce sentiment serait-il anormal ? Il s'en ouvre à Hector Fabre, dont les fonctions ont presque fait de lui un vieux Parisien. Ce dernier se dit d'accord : « Les Canadiens français sont plus anglais que français par les coutumes, par les habitudes, par ces mille petits détails, insignifiants pris séparément, mais qui, réunis, forment sinon le caractère national, du moins la vie extérieure d'un peuple. Nous avons conservé la Foi de nos ancêtres et leur langue ; au fond du cœur, nous sommes Français, Français du bon vieux temps, mais à la surface nous nous sommes laissé entamer par le contact des Anglais. » Cette pénétration a percé la « surface ». La Ligue nationaliste n'est-elle pas à l'avant-garde de la résistance ? Pourtant, c'est dans son *Programme* (1903) qu'il est possible de lire :

« Il est raisonnable de croire que la Providence, en donnant le Canada à l'Angleterre, a voulu le familiariser, par la conquête, puis par l'usage des institutions parlementaires, avec la jouissance de la liberté. » C'est dire exactement : en brisant une société et en jugulant les éléments qui en restent, son vainqueur lui a apporté de quoi conquérir la liberté. Lorsqu'on est d'un type « national » composé d'un Britannique malgré lui, d'un Français du bon vieux temps ainsi que d'un Anglais sans le savoir et qu'au surplus on s'adonne gravement à la prophétie rétrospective, comment pourrait-on avoir les idées bien claires ? À l'époque où Britannia règne sur les flots et où l'homme blanc porte profitablement son fardeau, que de juristes un peu pontifes et de pontifes un peu historiens, tous, au demeurant, hautement inspirés, ne se sont pas pris pour des cariatides de l'Empire ! Groulx fera quelque chose d'important : il dégonflera l'outre du loyalisme ; il balaiera la tradition de la Conquête, « décret » ou « bienfait » providentiels. La Providence cessera d'être réputée mère de parlements et ceux-ci d'être tenus pour des sanctuaires. Car, dans le style des polémistes de droite, il versera sur les « politiciens » des torrents de mépris.

Lionel Groulx pense en combattant. Il utilise un arsenal où vieillissent des armes anciennes et où en arrivent de nouvelles. Il en importe et il en forge. Cohérent, son plan d'opérations comporte trois éléments : faire le point sur les objectifs ; explorer la situation ; mener de diverses manières une tenace campagne de « propagande ». Trois mois après avoir pris la direction de la revue il fixe ses objectifs dans un article intitulé : « Notre doctrine ». Les *Mémoires* en reproduisent d'importants extraits précédés de considérations qu'il y a lieu d'examiner avec attention :

> S'il est vrai que toute pensée neuve ou qui se prétend directrice provient, on l'a dit, de « l'intersection d'une expérience personnelle et d'une rencontre avec un milieu neuf» (Jean Guitton), je n'avais, pour me rencontrer avec cette pensée, qu'à me souvenir de mon entrée dans la vie, à la sortie du collège. Combien mon patriotisme, ou si l'on préfère, mon nationalisme, que je sentais vif, ardent, presque aigri, me paraissait néanmoins instinctif, presque inconscient, dépourvu d'assises solides, autant dire doctrinales! Et je n'avais eu besoin que de mes rencontres avec la jeune génération et avec mes aînés pour apprendre jusqu'à quel point l'on souffrait du même vide que moi-même.

Texte capital. À mon avis, il révèle chez l'écrivain non pas, comme il dit, son «patriotisme, ou si l'on préfère, [son] nationalisme», mais bien un patriotisme qu'il a raison de qualifier d'«instinctif», auquel se superposera un nationalisme raisonneur. Intellectuel, il met celui-ci plus haut que celui-là dans son estime. Sentiment spontané, son patriotisme est québécois. Il vient du fond de l'histoire et du fond du pays. Cependant, cultivé, travaillé, documenté, réfléchi — c'est le mot juste —, réfléchi mais attention! dans le miroir des notions savantes que véhiculent l'expression littéraire du traditionalisme français et surtout le nationalisme canadien de Bourassa, il se constitue en système et devient le nationalisme canadien-français de l'entre-deux-guerres. Impuissante à s'enraciner dans la masse de la population, il est remarquable que cette doctrine reste enfermée dans une fraction instruite du public. Il importe de retenir à quel moment Lionel Groulx la définit. C'est en 1921. Il se demande depuis quatre ans si la Confédération n'est pas un échec monumental. Le vieux rêve de la «nation canadienne», on dit alors canadienne-française, s'est réveillé en lui; il lui donnera, l'année suivante, une voix dont l'écho ne se perdra pas de sitôt. Dans son esprit, qu'est-ce qui l'emportera, de la formule nationaliste ou du fond des choses? Ces années-là, le patriote avec son instinct trouble le nationaliste et, sans l'abattre, ébranle son système de papier.

Malgré les cinq bonnes pages que les *Mémoires* consacrent à cet article, il y a un avantage certain à lire dans leur contexte les passages qu'ils en reproduisent. «Notre doctrine, précise alors l'auteur, nous avons beaucoup moins à la définir qu'à la résumer»; elle s'est constituée spontanément dans la revue, «sans un mot d'ordre de ses directeurs, sans entente précise entre ses collaborateurs». Quelle est la situation? «Après trois cents ans de colonisation», les Canadiens français manquent de conscience nationale; ils comptent au nombre de ces peuples qui «se dirigent beaucoup moins qu'ils ne sont dirigés». Tiraillés entre divers courants d'opinion, «leur destinée leur commande... de se libérer de la sujétion étrangère». Qu'est-ce à dire? L'auteur incite-t-il ses compatriotes à s'engager dans un grand mouvement de libération politique? Pas si vite! Il leur propose de s'élever «jusqu'à l'état d'âme supérieur où ils prendront en eux-mêmes, dans la synthèse de leurs vertus natives, dans le commandement de leur histoire et de leur vocation, le gouvernement immédiat de leur pensée, l'essor souverain de leur vie». En un mot, il les invite à penser par eux-mêmes et à se retrouver. Alors, cette doctrine? «Notre doctrine, elle peut tenir tout entière en cette brève formule: reconstituer la plénitude de notre vie française.» Il s'agit de remonter au «type ethnique» élaboré par le siècle et demi d'histoire antérieur à 1760, d'inventorier ses virtualités, de «l'émonder de ses végétations étrangères», tout en conservant «les vertus nouvelles, acquises depuis la conquête», de le remettre en contact « avec les sources vives de son passé », puis de « le laisser aller de sa vie personnelle et régulière ».

Deux maux, poursuit l'auteur, ont atteint ce peuple. En premier lieu, la conquête a entamé ses lois et sa langue, longtemps entravé « sa culture intellectuelle », altéré son système d'éducation, envahi son domaine naturel, « ne le laissant que partiellement maître de ses forces économiques », contaminé ses mœurs privées et publiques en raison de « l'atmosphère protestante et saxonne » dans laquelle elle les a plongées. Ce premier mal « s'est aggravé, depuis 1867, du mal du fédéralisme ». Que reproche-t-il à la Confédération? Elle a pu, répond-il, occasionner des progrès matériels et même, « pour un temps », restituer au Québec « une louable autonomie » ; il n'en reste pas moins qu'elle a fini par isoler celui-ci au milieu de « huit provinces à majorité anglaise et protestante » et déterminé ainsi au Canada un déséquilibre qui entraîne « la législation fédérale vers des principes ou des actes qui mettent en danger nos intérêts fondamentaux ». Et de s'en prendre au « système politique de notre pays, tel qu'en voie de s'appliquer » :

> Les idées qui prédominent à l'heure actuelle, au siège du gouvernement central, tendent à restreindre d'année en année le domaine de la langue française, à miner sourdement l'autonomie de nos institutions sociales, religieuses et même politiques. Il suffit de rappeler ici, avec nos luttes depuis si longtemps soutenues pour faire respecter les clauses du pacte fédéral relatives au français, les projets de loi récents sur le divorce, la suppression de beaucoup de nos fêtes religieuses pour les fonctionnaires fédéraux, les tentatives pour l'uniformité des lois et de l'éducation, enfin les multiples assauts dirigés contre notre province et dénoncés par nul autre que le premier ministre du Québec, l'honorable Alexandre Taschereau...

En rédigeant ses *Mémoires*, l'écrivain croit discerner dans cette page déjà vieille de plus de trente ans «un pessimisme... qui rejoint d'assez proche l'école de nos jeunes historiens». Dans ce rapprochement assez inattendu, et qui se veut peut-être compréhensif, il perce de la confusion. Le pessimisme? Ce n'est pas une originalité, ce n'est pas une spécialité. Ce n'est pas davantage une méthode et encore moins une explication. Non, 1867 n'aggrave pas 1760, il en est le fruit. Simplement, et c'est ce que les «jeunes historiens» ont dit, le peuple désorganisé, défait, puis soustrait en 1763 à l'empire qui l'avait mis au monde, ne pouvait être ni l'organisateur du pays créé en 1867 ni le bénéficiaire du siècle de colonisation dont la «Puissance» était issue. Ni, de toute évidence, l'égal et le partenaire des créateurs du Dominion.

L'Action française, ajoute son directeur, «comprend qu'affaiblie par des emprunts malsains, notre âme a besoin d'être fortifiée par le dedans». Elle puisera à deux sources, «à celle qui coule à Rome et à celle de France». Ainsi abreuvée, «notre élite prochaine» pourra entreprendre de résoudre nos problèmes, «au service de sa race, de son pays et de sa foi». Elle se laissera orienter par l'histoire, fleuve qui porte d'une génération à l'autre «le flot accumulé des vertus de la race». Il cite Maurras: «Nul être vivant, nulle réalité précise ne vaut l'activité et le pouvoir latent de la volonté collective de nos ancêtres.» Apprenons donc, poursuit-il, «quelle vie est en nous, quel germe attend de s'épanouir». Il faut laisser agir ce principe et n'avoir plus qu'une volonté: «être absolument, opiniâtrement nous-mêmes, le type de race créé par l'histoire et voulu par Dieu». Il croit très fort aux «hérédités ethniques et psychologiques». Ici apparaît une autre ambiguïté, celle de la race. Non pas qu'il y ait lieu d'assimiler l'usage, pour ne pas dire l'abus, que l'écrivain fait de ce terme au racisme qui, précisément en ce temps-là, quelque part en Bavière, apparaît à l'origine d'un nouveau culte barbare. Cette notion, ici, est tellement confuse que les *Mémoires* peuvent citer (avec satisfaction) l'avis d'un théologien estimé, Mgr Paquet, sous la plume de qui on déniche, en 1937 : « Pour ce qui est du patriotisme ethnique en particulier, qu'on l'appelle racisme ou nationalisme, du moment qu'il est contenu dans les limites des vertus de prudence, d'équité et de modération, on ne saurait en contester la légitimité. » L'ambiguïté réside dans l'attribution aux hérédités collectives de vertus d'une telle efficace que l'auteur semble, en fin de compte, attacher une importance relativement modeste, pour une nation moderne, quelles que soient ses dimensions, à la nécessité de maîtriser un État correspondant à sa définition — c'est-à-dire national — en vue d'organiser et de soutenir son existence en face d'autres États.

Lorsque Lionel Groulx parle du « service de sa race, de son pays et de sa foi », race et foi n'ont pas besoin d'être précisées. Mais le pays ? Il affirme : « Notre doctrine, du reste, n'a rien qui ne s'accorde avec notre état politique actuel. Nous avons conscience de rester dans l'esprit du fédéralisme, en prenant la résolution de rester d'abord nous-mêmes. » Cela dit, semble-t-il, avec une certaine légèreté. Car enfin le fédéralisme est-il ou n'est-il pas ce « mal » dont l'écrivain affirmait il y a un instant que, depuis 1867, il a « aggravé » celui de la Conquête ? Ne nous récrions pas trop vite, cependant. Attendons la suite avant d'être tentés de le taxer d'incohérence. Il continue son exposé en répétant un argument dont tout indique qu'il impressionne fort peu la majorité anglophone : « l'utilité canadienne de notre survivance française ». On s'attendrait que l'abbé le développât longuement. Il passe vite, glisse presque : il ne va pas démontrer une fois de plus, explique-t-il, l'avantage que constitue la présence française au Canada. Il se contente de résumer: «Plus nous gardons nos vertus françaises et catholiques, plus nous restons fidèles à notre histoire et à nos traditions, plus aussi nous gardons l'habitude d'aimer ce pays comme notre seule patrie, plus nous restons l'élément irréductible à l'esprit américain, le représentant le plus ferme de l'ordre et de la stabilité.» C'est qu'une autre idée germe dans son esprit. Il la reprendra d'une façon spectaculaire un an plus tard. Pour l'instant, du ton qu'il prendrait pour lancer: à bon entendeur, salut! il avertit qui veut l'entendre que les Canadiens français ne vont pas se consumer en efforts inutiles pour «bâtir, eux seuls, un édifice que leurs associés s'emploieraient à détruire». Et il fait allusion à l'indépendance:

> Nous n'entendons sacrifier les aspirations et les droits légitimes de notre race à aucune combinaison politique. Nous nous imposons, comme programme, de fortifier notre élément, de lui faire une riche et vigoureuse personnalité, pour que, quoi qu'il advienne demain, que s'écroule la confédération ou qu'elle se reconstruise sur de nouvelles bases, qu'il nous faille choisir entre l'absorption impériale ou l'annexion américaine, que l'une ou l'autre nous soit imposée ou qu'un État français surgisse du morcellement du continent, notre peuple soit assez robuste, ait accru suffisamment ses forces intègres pour faire face à ses destinées.

On ne saurait, je crois, surestimer l'intérêt de ce texte. Son importance est double. D'une part, il marque l'évolution dans laquelle, au début des années vingt, la pensée de l'écrivain s'engage plus ou moins profondément. D'autre part, il signale le tournant qu'une fraction variable des éléments nationalistes s'apprêtent à prendre. Cet article-programme de 1921 veut donc être une synthèse. De quoi, en résumé, celle-ci est-elle faite? Une analyse rapide y distingue cinq composantes. D'abord, un sentiment religieux fort au point d'être enveloppant : dans son action, l'abbé Groulx n'entend pas, il le proclame, se dépouiller de son caractère sacerdotal ; du reste, le Canada français est massivement catholique, c'est un de ses caractères distinctifs ; sur ce point, l'accord est entier entre la doctrine et ceux à qui elle est proposée. Ensuite, un sentiment très vif de l'histoire : l'écrivain pratique professionnellement cette discipline depuis cinq ans, il est au moment de sa carrière où il a construit son schéma du cheminement du Canada français à travers le temps et il voit le destin de son peuple comme le prolongement de la courbe qu'il a tracée de cette évolution. En troisième lieu, les idées de la droite française (il n'est pas sans signification qu'il cite Maurras) : elles viennent renforcer et en quelque sorte justifier l'idée qu'il se fait du passé et de l'avenir ; ordre, « esprit français », tradition, appréhension du « déracinement », appel à l'effort, continuité, « qualités latines », foi aux forces du passé : ses thèmes, son style et jusqu'à son vocabulaire, tout indique à quelles tendances de l'opinion française il se rattache. Quatrième composante, le nationalisme canadien avec sa séduction durable : ah ! si le Canada voulait bien prendre ses distances vis-à-vis du monde anglo-saxon, tenir pour également « étrangers » les Américains et les Anglais, devenir bi-ethnique, partager entre les deux « races » les ressources et la direction d'un pays modèle et parfaitement indépendant ! Enfin, une nouveauté : devant l'impossibilité pratique de construire à deux cet édifice harmonieux, la vision finale de l'indépendance à faire, quand les Canadiens français auront puisé dans leur discipline et dans leur passé assez de force pour y accéder.

Alors même qu'il définit les objectifs de *L'Action française*, le directeur emploie son équipe à l'exploration de son champ de bataille. Il a beau déclarer, dans une conférence de 1918, que «*L'Action française* n'est pas une oeuvre de bataille», il enchaîne, dès la page suivante: «Le premier mot de la stratégie, c'est de connaître ses agresseurs... Peut-être même bon nombre de nos gens ont-ils besoin d'apprendre que la guerre sévit au Canada et que cette guerre est faite contre nous.» Chaque année, un groupe de collaborateurs examinent une question nationale, et, chaque mois, un article de la revue en traite un aspect. C'est la formule de l'«enquête». La première, dès 1917, a porté sur les problèmes de population; la «revanche des berceaux» était à l'ordre du jour, et l'éloquence du P. Louis Lalande y a trouvé bonne matière à se déployer. En 1921, nous le savons, celle qui a pour objet la question économique est en cours. La suivante s'ouvre sur «Notre avenir politique»; elle est destinée à éveiller des échos prolongés. La série se poursuit avec «Notre intégrité catholique», puis le bilinguisme. En 1927, comme le veut l'actualité, *L'Action française* prend une vue d'ensemble de «Soixante ans de Confédération». Dix ans auparavant, l'écrivain a célébré le jubilé du régime en parlant de banqueroute; son thème avait été à peu près:

Comment en un plomb vil l'or pur s'est-il changé?

Maintenant, il se borne à constater que «la Confédération canadienne est un géant anémique, porteur de maints germes de dissolution». Pour qu'elle ait plus qu'une existence artificielle, raisonne-t-il, il est urgent de revenir aux «principes qui ont présidé à la formation de ce grand corps politique». En fait d'immortels principes, on a décidément ceux qu'on peut s'offrir. Il lance un avertissement: en 1867, on a pu obtenir à «bon marché» l'adhésion des Canadiens français, mais «la génération d'aujourd'hui n'admet point qu'on ait vendu ses chances de vie, non plus que son droit de vivre dignement». Rien de neuf, ou plutôt retour à de vieilles formules — éprouvées, si l'on veut, mais en plus d'un sens. Les articles qui composent cette enquête forment un petit livre intitulé *Les Canadiens français et la Confédération canadienne.* Rien n'en exprime mieux l'esprit que la brève introduction qui le coiffe:

> À l'occasion du soixantenaire de la Confédération, un inventaire s'imposait aux Canadiens français: celui de leur contribution à l'œuvre commune. Rien de plus efficace pour les rendre attentifs à leur condition dans l'État canadien, comme à la dignité qui leur sied dans les fêtes prochaines... Du même coup, nous avons conscience de rendre service à toute la communauté canadienne. Ce ne sont pas les discours officiels, effrontément mensongers, qui feront jamais, en ce pays, l'union nationale. En palliant, sous des propos idylliques, le désaccord profond des nationalités, ils ne parviennent qu'à l'aggraver. Si les Canadiens français ne s'étaient jamais dépouillés du courage et de la franchise ils n'auraient pas aujourd'hui à ressaisir leur vigilance. Entre gens d'esprit droit, une parole libre et claire prépare seule la bonne entente.

Où l'on voit que, pareil à celui du buisson ardent, le feu de l'action brûle les idées sans les consumer. On se rappelle le jugement de Lamartine sur les ministres de Louis XVI: «Ils soulevaient toutes les questions sans les déplacer.»

L'Action française analyse l'actualité, s'engage dans des polémiques et s'ingénie à répandre sa doctrine au moyen d'une « propagande » susceptible de formes diverses. Elle publie un *Almanach*, des calendriers et des cartes postales. Elle organise des « pèlerinages historiques » ; les *Mémoires* en énumèrent une dizaine, échelonnés entre 1921 et 1927. Le plus célèbre est celui du Long-Sault, voué au culte de Dollard. « Ce culte, observe l'écrivain, on comprendra que je l'aie voulu propager, amplifier. » On ne saurait se replonger d'une façon plus saisissante dans l'atmosphère de l'époque qu'en relisant la finale de la conférence fameuse — « Si Dollard revenait » — que Lionel Groulx prononce au Monument National, le 31 janvier 1919 :

> Oh ! qu'il est temps que tu nous reviennes, ô commandant du vieux fort de Ville-Marie. Nous avons tant besoin d'un jeune chef comme toi et d'un pareil entraîneur d'hommes. Là-bas, regarde à la frontière où tu tombas, une barbarie aussi envahissante que l'ancienne s'en vient et menace nos âmes françaises. Ici, c'est l'œuvre d'une reconstruction et d'une réfection totale qu'il nous faut entreprendre. Lève-toi donc, ô Dollard, vivant sur ton socle de granit. Appelle-nous avec ton charme viril, avec tes accents de héros. Nous lèverons vers toi des mains frémissantes comme des palmes, ardentes de l'ambition de servir. Ensemble nous travaillerons, nous reconstruirons la maison de famille. Et, pour la défense française et pour la défense catholique, si tu le commandes, ô Dollard, ô chef enivrant et magnétique, jusqu'à l'holocauste suprême nous te suivrons.

La conférence occupe, on s'y attendait bien, une place privilégiée dans l'arsenal de la propagande. Les *Mémoires* évoquent non sans nostalgie ce temps où les conférenciers se voyaient « mis à contribution jusqu'à usure ». Le directeur de la revue paie de sa personne, parle partout, court les congrès. *L'Action française* a sa librairie et ses éditions, sa clientèle et ses auteurs. Surtout, elle a un animateur exceptionnel. Cette oeuvre collective est principalement son oeuvre. Il y consacre ses ressources intellectuelles à tel point que *L'Appel de la race*, dit-il, c'est de la «propagande par le roman». La Ligue et la revue n'ont jamais connu autant de succès.

Il arrive qu'elles pressentent des formules que l'avenir adoptera: celle, par exemple, d'un Comité de direction et d'études économiques (1921) ou encore celle d'un Conseil technique de la langue française (1923). Entendons qu'il ne s'agit pas, alors, de demander à l'État québécois d'instituer lui-même un Conseil économique ou un Office de la langue française. Cet État existe à peine: le budget des dépenses du Québec se réduit à 9,3 millions en 1911; à 32,7 millions en 1921; à 36,5 millions en 1931. Ce sont là les ressources d'une petite administration locale. L'État est à Ottawa. Quand, en 1923, l'A.C.J.C. fait, selon l'expression de son président, entrer Dollard «dans le parlement de la nation», c'est au Parlement fédéral que la cérémonie a lieu. Ensuite, même cette ombre d'État qui est à Québec, les nationalistes ont à son égard une attitude faite d'incertitude, de crainte et d'ambiguïté. À ce sujet, la pensée de Lionel Groulx ne paraît pas exempte de fluctuations. En décembre 1920, le directeur de *L'Action française* annonce que l'enquête annuelle de la revue portera en 1921 sur le problème économique. Ainsi qu'il l'écrit vers la fin de son article, il voudrait que cette étude «fût une exhortation à l'effort collectif et ordonné, un appel à chacun de faire tout son devoir à son poste, une invite à la collaboration de tous les facteurs pour le triomphe de l'indépendance commune et pour l'acquisition du bien-être par chacun». L'évocation de l'indépendance n'a rien d'étonnant. Cette page ne précède que d'un mois le texte sur «Notre doctrine» dans lequel la même idée affleure. D'autre part, l'effort collectif envisagé paraît s'assimiler à la somme des efforts individuels.

Le directeur de *L'Action française* se fait plus explicite un an après. En décembre 1921, il rédige et publie la conclusion de l'enquête: vingt pages solides dans lesquelles il fait la synthèse des articles de ses collaborateurs et exprime ses propres vues. Sa documentation est caractéristique; on y cueille des citations de Le Play, Maurras, Raoul Blanchard, René Johannet, dont *Le Principe des nationalités* ne date que de trois ans, Brunhes et Vallaux, qui viennent de faire paraître *La Géographie de l'histoire*. Comment, se demande-t-il, donner à l'enquête un prolongement d'ordre pratique et entreprendre de corriger les terribles déficiences qu'elle a révélées? Il répond: en faisant «l'éducation de notre public». Mais encore? Justement, dans sa contribution, le futur directeur du *Devoir*, Georges Pelletier, a proposé la création d'un «comité de direction et d'études économiques». Lionel Groulx reprend cette recommandation en souhaitant que cet organisme se fixe des objectifs propres à dépasser les fins particulières du commerce et de l'industrie, persuadé que les grands mouvements collectifs «sont généralement provoqués et soutenus par des causes de l'ordre idéal, par une pensée supérieure qui rallie les fins secondaires».

Aujourd'hui, pareille recommandation s'adresserait aux pouvoirs publics. On ne ferait pas une enquête, on presserait l'État d'instituer une commission d'enquête dotée de moyens suffisants. On lui demanderait ensuite de mettre en place des services en vue de faire démarrer une politique économique. Mais, voici cinquante ou soixante ans, il ne s'agissait pas de faire tourner une roue; la roue était encore à inventer. L'État était à faire.

Pis encore, il attendait jusqu'à sa définition. C'est ce que laisse entendre le directeur de *L'Action française:* «La première condition d'un puissant effort économique, ne serait-ce pas, en définitive, de nous entendre, une fois pour toutes, sur le caractère politique et national du Québec?» Non seulement, poursuit-il, notre patrimoine a été dilapidé; il a été administré dans un esprit d'«indifférentisme national», et ceci explique cela. Il faut lire la suite:

> Le fédéralisme avait déjà déformé notre patriotisme français... Qui pourra dire jusqu'à quel point nos gouvernants n'ont pas entendu traiter le Québec comme une province encore attardée, elle aussi, à la période du devenir national? Mis à l'enchère publique, tout comme les plaines de l'ouest canadien, notre territoire fut vendu aux plus hauts prenants, sans le moindre souci des droits nationaux. Le domaine national, le capital d'exploitation, n'ont jamais eu, pour nos gouvernants, de nationalité, pour cette raison qu'en leur esprit l'État n'en avait point... Il appartiendra à la jeune génération, si elle veut atteindre aux réalisations puissantes, de faire admettre que l'être ethnique de l'État québécois est depuis longtemps irrévocablement fixé.

Donc, donner à l'État une nationalité. Reconnaître que l'histoire «a fait du Québec un État français». Groulx conclut: «Cette vérité suprême, il faut la replacer en haut pour qu'elle gouverne chez nous l'ordre économique, comme on admet spontanément qu'elle doive gouverner les autres fonctions de notre vie.»

Dix ans plus tard, il voit l'État d'un œil rempli d'appréhension. Dans son *Enseignement français au Canada*, il fait l'éloge du régime scolaire instauré au Québec en 1875, date à laquelle un éphémère ministère de l'Instruction publique a fait place à un Conseil, à ses puissants Comités et à un Surintendant qu'il reconnaît nanti, en pratique, des « pouvoirs d'un ministre de la couronne ». Cette formule ne semble pas être sans lien de parenté, du moins au niveau des intentions, avec la réorganisation parfaitement réactionnaire que le duc de Broglie avait effectuée en France, deux ans plus tôt, du Conseil supérieur de l'Instruction publique. Il se réjouit de la persistance de ce régime « unique au Canada, assez rare, croyons-nous de par le monde contemporain ». Le moins qu'on puisse dire est bien que Boucherville, l'« homme d'État », le « grand chrétien » à qui l'on devait ce beau système, n'était en rien suspect de « statôlatrie ». Pourtant, même cet État effacé, sinon inexistant, réduit à un rôle de « surveillance » déférente et de « suppléance » commode, l'écrivain craint qu'il ne cède à quelque éventuelle tentation de « mainmise » sur l'enseignement. Il ne se sent pas très rassuré sur le sort de l'école catholique, plus fragile à ses yeux que celui de l'école protestante au Québec. C'est que, raisonne-t-il, advenant un « retour offensif de l'esprit radical », le législateur québécois n'oserait pas déranger le secteur protestant, de peur de provoquer « de formidables réactions à travers le pays », tandis que le secteur catholique resterait sans appui : « Pour ce que valent, après tant d'expériences décevantes, les sauvegardes de l'article 93, on voit mal un autre groupe catholique se risquant aux humiliants déboires d'un recours au gouvernement fédéral. » Il faut sans aucun doute que l'épouvantail ait une certaine taille pour inspirer à l'écrivain la pensée que, si l'État central faisait son devoir, il ne serait pas invraisemblable de le voir appelé à jouer un rôle d'arbitre entre les catholiques québécois et leur gouvernement. C'était là concevoir ce dernier comme une administration subalterne dans un des rares domaines de sa compétence exclusive. Encore en 1940, à son archevêque qui le consulte, l'abbé donne cet avertissement :

« Le lit est fait pour un ministre de l'Instruction publique... Au reste, des professeurs d'université ne se font pas faute de colporter, dans les cercles, qu'un ministère de l'Instruction publique n'est pas un mal en soi ; telle institution existe en beaucoup de pays catholiques. »

Le Groulx des années vingt est le meilleur Groulx. Il a quarante ans et la parfaite maîtrise de ses moyens. Il dispose d'une tribune. Il a une équipe. Il n'a pas besoin de s'appliquer à aimer ce qu'il fait. Il fait ce qu'il aime. Ce n'est pas sans raison que ses *Mémoires* s'attardent sur cette période de sa vie. C'est la plus belle. La suivante apparaîtra plus prestigieuse, mais criblée, déjà, de déceptions. Voici, me semble-t-il, quelque chose de révélateur. Lorsqu'il évoque les années de *L'Action française*, il parle avec autant d'abondance que d'affection des hommes qui l'entourent. Il met en scène ses collègues, les directeurs de la Ligue : Philippe Perrier, Joseph-Papin Archambault, Omer Héroux, Joseph Gauvreau, Anatole Vanier, Antonio Perrault ; des collaborateurs qu'il qualifie de grands : Édouard Montpetit, Adélard et Alexandre Dugré, Louis-Adolphe Paquet, Laure Conan, Arthur Laurendeau, personnage attachant dont on regrette qu'il n'ait fait qu'un trop rapide portrait ; des « jeunes », enfin : Harry Bernard, René Chaloult, Esdras Minville, Léo-Paul Desrosiers et bien d'autres. Voilà des frères d'armes. Il en va autrement du groupe de *L'Action nationale*. Il en fait partie, le reçoit chez lui, y compte des amis, lui donne des textes ; sans en être le directeur en titre, il y fait figure, pourrait-on dire, de « directeur spirituel » ; mais ce n'est plus son état-major, ce n'est plus « sa » revue ; il en raconte la création dans un chapitre consacré aux « mouvements de jeunesse ». De nouveau, toutefois, il aura sa propre publication périodique : il fonde en 1947 la *Revue d'histoire de l'Amérique française* et la dirige durant vingt ans; elle rassemble un nombre considérable de collaborateurs; de cette équipe, pourtant, non plus que de celle de *L'Action nationale*, ses *Mémoires* ne parlent guère. Dans ses souvenirs, les confrères et les disciples ne prennent pas rang avec les ardents compagnons.

Malgré ses succès, *L'Action française* s'écroule en 1928, minée par la discorde et abattue par ce que son directeur dénonce comme une « trahison ». Celui-ci a décidé de revenir à ses travaux et à son « enseignement d'histoire, fort négligé en ces dernières années ». Retour après dix ans: qu'est-ce à dire? Ces « dernières années » ne sont pas loin de coïncider avec les premières de son enseignement universitaire. Et les suivantes ne feront pas aux études historiques une place sensiblement agrandie. L'écrivain a publié son premier roman en 1922; son second, *Au Cap Blomidon*, paraît dix ans après. À partir de 1933, il collabore à *L'Action nationale*, que ses *Mémoires* saluent ainsi: « Dans les prochains événements qui allaient surgir: réveil national, réveil de la jeunesse, mouvements de libération politique, *L'Action nationale*, peut-on dire, exprimera la pensée de fond des Canadiens français; elle sera l'organe le plus lu, le plus influent. » Dans le milieu nationaliste, s'entend. Il convient de distinguer entre l'opinion nerveuse et l'opinion calme. La première s'exprime par des feuilles (et de rares revues) qui poussent et qui tombent: *L'Ordre* d'Asselin, quotidien auquel l'hebdomadaire *Renaissance* succède sans le remplacer; *Vivre*, où l'on admire Léon Daudet et l'abbé Groulx (« un maître, pas un fossile »), et que suit *La Nation*, hebdomadaire séparatiste, puis autonomiste, où le ton est celui de *Gringoire* et de *Je suis partout*; *La Province*, de l'Action libérale nationale; *La Boussole*, que fonde L.-Athanase Fréchette; *L'Indépendance*, organe des Jeunesses patriotes; *Les Idées*, que dirige Albert Pelletier, armé des sagettes de son *Carquois*; *Le Jour*, enfin, où Jean-Charles Harvey — est-ce un Bouvard qui veut se hausser au niveau d'un Homais? — attaque le nationalisme et, plus profondément, le patriotisme québécois avec plus de hargne encore que de persévérance et plus de persévérance toujours que de talent. *Le Devoir*, qui se maintient alors dans une austère indépendance, peut être calme et peut être nerveux, comme *Le Canada*, qui s'affiche libéral. Dans le secteur calme, s'épanouissent *La Relève*, qui se rattache au mouvement français d'*Esprit*; *L'Action catholique*, qui reste épiscopale; *L'Illustration*, conservatrice; *Le Soleil*, qui brille pour les libéraux; *La Presse*, libérale aussi, mais avec une efficace discrétion, et le reste de la presse d'information.

Que ce soit par influence ou par réaction, partout il est tenu compte de la pensée de Lionel Groulx. C'est un drapeau qu'on défend ou qu'on assaille; on peut même méditer de s'en emparer. Son étoile monte, cependant que l'astre de Bourassa s'éclipse. La presse est pleine de son nom, et même les livres. Dès 1921, Henri d'Arles lui consacre, en même temps qu'à Chapais, un chapitre de *Nos historiens*. En 1923, Olivar Asselin prononce sur lui — pardon: sur son «œuvre» —, une conférence qui devient une importante brochure. Georges Pelletier le fait figurer dans ses *Silhouettes d'aujourd'hui* en 1926; Olivier Maurault, dans ses *Brièvetés* en 1928 et encore dans ses *Propos et portraits* en 1940; Claude-Henri Grignon, dans ses *Ombres et clameurs* en 1930. Robert Rumilly lui donne rang, en 1935, parmi ses *Chefs de file*, et la brochure d'André Laurendeau paraît en 1939, précédée d'une préface d'Émile Baumann. En 1931, la presse fait écho à ses conférences de la Sorbonne: au Canada, la voix publique les commente avec fierté dans *Le Droit* d'Ottawa, *Le Bien public*, *La Patrie*, *La Presse*, *Le Devoir*, *La Revue Moderne*; en France, le respect et la sympathie s'expriment dans *La Croix*, *Le Figaro*, sous la plume de Firmin Roz, *Paris-Canada*, *Les Annales coloniales*, sous la signature de Georges Goyau, *Le Journal de Roubaix*... En 1933 et encore plus en 1934, les articles consacrés à Groulx se multiplient dans *Le Travailleur*, *La Liberté*, *Le Bien public*, *Le Semeur*, *Le Courrier-Sentinelle*, *L'Action nationale*, *Le Devoir*, *L'Action catholique*, *L'Ordre* surtout, qui s'indigne de ce que l'auteur de *La Découverte du Canada* ne soit pas invité aux fêtes du quatrième centenaire de Jacques Cartier, sans savoir, sans doute, que ceux qui plastronnent dans ces cérémonies sont choisis en raison de leur titre et non pas à cause de leur mérite, même s'ils peuvent avoir, à cet égard, les illusions familières à l'âne porteur de reliques.

C'est précisément en 1934 que Maurice Duplessis vient le «consulter», c'est-à-dire lui demander de diriger vers lui une jeunesse qui l'ignore. L'historien le toise: «L'homme n'offre rien alors du reluisant qu'on lui reconnaîtra plus tard. Il porte un habit légèrement râpé, des pantalons mal pressés. Il tient dans les mains une serviette usagée, bondée de paperasses dont il refuse de se départir.» L'entrevue est glaciale. Du ton le plus professoral, l'abbé fait la leçon à son visiteur. Pendant qu'il le reconduit à la porte, il se demande, torturé: «Est-ce possible que nous ayons tant travaillé, tant peiné depuis vingt ans pour ce désolant résultat: mettre à la tête de la province un Maurice Duplessis?» Il ne saurait lui pardonner d'avoir neutralisé cette «pléiade des jeunes réformateurs de la politique québécoise» que constituaient les animateurs de l'Action libérale nationale, puis, une fois acquise la victoire de l'Union nationale, en 1936, d'avoir détruit ce qui pouvait subsister, dans son groupe, de «bonne volonté, de sincérité, [de] patriotisme» en écartant du gouvernement «le trio de Québec: Grégoire, Hamel, Chaloult». Plus que tout, il est révolté de «la trahison de l'Union nationale». Il se souvient: «Dans les milieux de jeunesse, ce fut presque de la stupeur. Avoir tant travaillé, tant espéré, pour aboutir à ce fiasco, à cette tragédie de sérail.» Si prévisible soit-elle, pareille déconfiture ne se supporte pas. Ainsi donc, le Québec «allait vivre sous le signe d'un pseudo-nationalisme: tout ce qu'il fallait pour enrégimenter les arrivistes et les opportunistes». Les deux hommes ne tardent pas à s'affronter. Quand, au Colisée de Québec, en 1937, Lionel Groulx s'écrie: «Notre État français, nous l'aurons!», Duplessis réplique: «S'il y avait par malheur quelqu'un qui prêcherait l'isolement — et je sais qu'il n'y a personne de sérieux pour le faire — ce serait restreindre une puissance trop belle et trop grande pour la limiter à une seule région.» Voilà bien le comble de l'impudence: l'artiste du calembour qui conteste le sérieux de Lionel Groulx! On comprend que, pour évoquer Duplessis, les *Mémoires* aient des accents qui rappellent presque ceux que trouvait Chateaubriand pour foudroyer l'Usurpateur.

Vers 1935, l'écrivain connaît à la fois la défaite et le triomphe: défaite des idées qu'il propage depuis près de vingt ans, mais qu'il voit maintenant récupérées par une certaine tradition politicienne; en même temps, triomphe personnel. Il est l'idole d'une jeunesse et l'inspirateur d'une pensée. Nul autre que lui n'aurait pu, sans faire sourire largement, intituler *Orientations* (1935), puis *Directives* (1937), des recueils d'articles et de conférences. Ses propos soulèvent une vague de ferveur. En février 1936, *L'Indépendance* lui consacre un numéro spécial, et *La Nation* en fait autant le 2 septembre 1937. Dans le même journal, le 8 juillet, Paul Bouchard publie un article intitulé « Groulx et Papineau ». Il est significatif, le titre dont Hermas Bastien coiffe le texte qu'il fait paraître dans *La Boussole* du 18 septembre 1937 : « N'y touchez pas — l'abbé Lionel Groulx. » C'est l'époque où les groupements nationalistes et leur presse le saluent comme « chef de la jeunesse nationale » ou simplement comme « chef ».

Parmi ses nombreuses conférences, quelques-unes se dégagent : « Nos positions », en 1935 ; « L'Économique et le national » ainsi que « L'Éducation nationale », en 1936 ; en 1937, « L'Histoire, gardienne des traditions vivantes » et « Faites-nous des hommes ». Il prononce la première à Québec, où le Jeune Barreau veut l'entendre. Il a semé partout tellement de paroles qu'il sent la nécessité de faire le point, c'est-à-dire de « fouiller, ramasser, grouper en faisceau nos prétentions, nos droits à la survivance, établir, en somme, les fondements du nationalisme canadien-français ». Discours en trois points : nos droits, nos devoirs, les réactions nécessaires. Rien de neuf, « rien qui puisse indisposer l'esprit le plus chatouilleux ». Aussi le succès est-il impressionnant. « Je puis, résume l'auteur, l'écrire sans forfanterie : l'effet de cette causerie fut profond, non seulement sur mon auditoire du Château Frontenac, mais sur toute la ville de Québec qui put m'écouter à la radio. » En réalité, l'écho de sa voix retentit au-delà des vieux murs de la capitale provinciale, si bien que les *Mémoires* peuvent citer un texte de *L'Illustration* (de Montréal) qui, sous le titre : « Le Programme de M. Groulx », commente ainsi, le 13 février 1935, ses plus récents propos : « On se prend souvent à regretter que M. Lionel Groulx soit prêtre. Il est incontestablement, et sans possibilité de comparaison, le chef canadien-français. Mais il ne peut, de par son état, passer à l'action politique. À notre sens, c'est un très grand malheur. »

Lorsque, l'année suivante, il livre ses réflexions sur « l'économique et le national » à la Jeune chambre de commerce de Montréal, il rejoint les sentiments de révolte et d'inquiétude, sinon de désespoir, que l'interminable crise, maintenant entrée dans sa septième année, fait éclore dans une population rongée non plus par la pauvreté, mais par la misère. C'est l'époque inexpiable, inoubliable et pourtant bien oubliée du « secours direct ». Qui sont les secourus ? Il y a 525 000 Canadiens français à Montréal, dont 160 000 secourus : proportion supérieure à celle des immigrants italiens ou ukrainiens. Aucun groupe ethnique n'est aussi affamé, aussi mal logé, aussi malade, aussi dépouillé que celui des premiers possesseurs du pays ; refoulés dans leur ghetto, les fils des fondateurs, enfermés dans l'indigence de l'Est montréalais. Ici, remarque le conférencier, « ce n'est pas seulement, comme en d'autres pays, l'écart souvent anormal entre les ressources d'une poignée de grands possédants et la masse des non-possédants ou des petits possédants, mais cette particularité que les uns et les autres ne sont pas, en cette province, de même famille, de même nationalité ». Considérations propres à froisser les « modérés ». L'orateur s'en doute bien. Au-delà de ses lectures distinguées, il retrouve ses racines populaires : « Mais je suis encore à me demander en quoi le repos, la digestion du spoliateur seraient plus sacrés que la détresse du spolié. » de promouvoir le bien-être général de la société ». Une génération, ajoute-t-il, a pu accepter un régime économique préjudiciable à la liberté de l'État et attentatoire à la dignité de la majorité au point d'en faire « un peuple de manœuvres et de domestiques », amené par la force des

« un peuple de manoeuvres et de domestiques », amené par la force des choses au « sacrifice progressif de sa foi et de sa culture ». Il lance : « Moi je vous dis que la prochaine génération n'acceptera pas... le régime qui prétendrait se servir de l'économique pour dominer la politique, et, par elle, toute notre vie nationale et spirituelle. »

Des considérations analogues apparaissent dans la conférence qu'il fait sur l'éducation nationale, en décembre 1936, à l'occasion d'un congrès d'instituteurs catholiques : « Et si j'espère, déclare-t-il, voir poindre le jour, l'ère de bon sens, où, pour obtenir un emploi dans la province de Québec, il faudra d'abord savoir du français, d'autre part, je ne fais pas de difficulté de l'avouer : aussi longtemps que les grandes affaires resteront, en cette province, entre les mains de la minorité anglophone et qu'il nous plaira d'aggraver cette servitude, en acceptant que l'anglais soit la langue des clients que nous sommes, ...l'anglomanie scolaire, j'en ai bien peur, ne sera pas chose facile à enrayer. » Propos d'actualité.

De toutes les interventions publiques de Lionel Groulx, la plus retentissante qui ait marqué cette période, et la plus mémorable peut-être de sa carrière, demeure la conférence qu'il a prononcée au Colisée de Québec, le 29 juin 1937, au cours du deuxième Congrès de la langue française. On lui avait proposé pour thème « l'histoire, gardienne des traditions vivantes ». Beau sujet, estime-t-il dans ses *Mémoires*, « mais un peu vague, difficile ». Les manifestations de ce genre commandent un certain ton : ronron de l'éloquence académique, flonflons du patriotisme officiel. Ce ton, le conférencier n'arrive pas à le prendre, les événements des deux dernières années l'ont trop secoué. Avec ses amis nationalistes et les milieux de jeunesse, il partage une « émotion faite de dépit, d'amertume, par suite des événements politiques que l'on sait» ; lisons: par suite des manoeuvres de Duplessis pour prendre, puis exploiter le pouvoir. Quand on évoque ce discours et les réactions qu'il a suscitées, on a du mal à se souvenir qu'il devait y être question d'histoire et de traditions. On oublie qu'il contient des passages comme celui-ci: «Les remèdes, rien de plus simple que de les indiquer. Nous avons perdu notre base économique et sociale et notre base historique. Nous retrouverons la première par la reconstitution et par le maintien de notre paysannerie.» Avec raison, on perd de vue tout cela. Mais on se souvient de ceci: «C'est ici, dans le Québec, que nous jouons notre destin.» Et de ceci: «Un devoir absolu, un rôle sacré s'impose à l'État: préparer, favoriser les conditions matérielles et morales, l'harmonieuse combinaison d'une politique économique et sociale et d'une politique de l'esprit, par quoi les Canadiens français, fils authentiques du sol, immense majorité en cette province, atteindront leur fin d'hommes et leur fin de nation.» Et plus que tout, de ceci: «Qu'on le veuille ou qu'on ne le veuille pas, notre État français, nous l'aurons.»

Les réactions sont vives. «Coup de foudre», clament les *Pamphlets* de Valdombre. «Scandale», déclare, de son côté, l'archevêque de Saint-Boniface, Mgr Émile Yelle. Le conférencier juge utile de se dédouaner en expliquant au prélat qu'on lui prête à tort «des intentions séparatistes». *L'Action catholique* et *L'Illustration* s'inspirent de cette explication pour rassurer leur public. D'autres journaux n'en condamnent pas moins l'orateur, cependant que la presse nationaliste le porte aux nues. Un grand magasin de Québec expose dans une vitrine deux mannequins: Louis-Joseph Papineau donnant la main à Lionel Groulx. Le commentaire le plus caractéristique reste cependant, à mon avis, celui de *L'Autorité* (3 juillet

1937), que reproduit *L'Action nationale* de juin 1968. L'hebdomadaire conservateur dénonce les extrémistes qui méditeraient de « pousser la jeunesse jusqu'à la guerre civile », approuve Duplessis, Mgr Yelle et un certain J.-E. Michaud, ministre fédéral, d'avoir « endigué ce flot éperdu [*sic*] d'éloquence » et surtout cite avec satisfaction un article paru dans la *Montreal Gazette* le lendemain de la conférence du Colisée. Le quotidien anglophone donne à entendre que les beaux discours commencent à coûter cher (en période, il est superflu de le rappeler, de chômage et de misère) : « Le Québec ne vend plus [ses produits] avec la même facilité qu'autrefois, depuis Sydney (Cap-Breton) jusqu'à Victoria (Colombie britannique). Récemment, le président d'une importante compagnie de peinture remporte la palme sur ses concurrents pour la qualité, mais n'obtient pas tout de même une forte commande dans l'Ontario... La Colombie anglaise refuse aussi nos tomates. » Les sanctions économiques, déjà.

Après cette apothéose, il est fatal que les discours de l'éloquent abbé ne provoquent plus chaque fois des vibrations d'une intensité comparable à celles que le Québec a éprouvées sous le choc de la conférence du Colisée. Ce n'est pas qu'il s'interdise l'audace. Ainsi, aux militants de la Jeunesse indépendante catholique, il déclare, quelques semaines plus tard, dans « Faites-nous des hommes », qu'ils ont raison de juger mal faite une société où, comme au Canada français, « une infime minorité de possédants détiennent toutes les principales sources de la richesse, presque toutes les sources de l'emploi » et, par conséquent, se trouvent à même de dominer la vie économique de la majorité, d'avoir prise sur sa vie politique et de la menacer jusque dans sa vie culturelle. Il réclame au Québec l'action d'un État « définiteur et protecteur du droit ». Il demande : « Si nous sommes aujourd'hui un peuple si humilié, piétinant dans l'incohérence, ne serait-ce point principalement parce que, depuis 1867, notre politique aurait généralement manqué d'orientation nationale ? » Il prévient ses auditeurs qu'ils auront à décider si l'avenir reste possible « sans de profondes réformes institutionnelles » et si le régime fédéral laisse au Québec « suffisamment d'autonomie ». On retrouve bien l'atmosphère de l'époque dans une dénonciation des « lubies surannées du libéralisme économique » et dans des interrogations comme les suivantes : « Un peuple peut-il encore attendre le salut du suffrage universel, tel que dévoyé par les politiciens ? Est-il possible d'échapper au cercle vicieux des démocraties parlementaires ? » Au même moment, éblouie par Salazar et Mussolini, une jeunesse avide de changement lui confère le titre de chef. Encore en 1941, dans ses *Paroles à des étudiants*, il déclare : « Croyez au rôle des chefs, du chef. Le chef, l'histoire enseigne qu'on le trouve au principe de toute évolution, en quelque domaine que ce soit. La mystique du chef n'est pas une mystique paresseuse, comme d'aucuns se plaisent à le dire... Vous qui priez Dieu pour le relèvement de notre petit peuple, demandez-lui de nous envoyer l'un de ces hommes merveilleux, un chef qui ne nous abandonnera pas à mi-chemin, comme tant d'autres l'ont fait. »

Au moment où tombent ces paroles, une autre période de la vie de Lionel Groulx a pris fin depuis trois ans. En 1938, recru de fatigue, il s'effondre, « tous mes ressorts rompus », dit-il, à la suite d'une syncope, « la première de ma vie ». Il y voit l'effet de travaux excessifs. Après tout, n'a-t-il pas soixante ans ? Mais il laisse aussi entrevoir autre chose. Il se décrit miné par « une inquiétude sourde qui allait parfois jusqu'à l'angoisse lancinante ». Étouffée par la crise, la jeunesse, il en a eu conscience, a tellement attendu de lui. Pour sa part, il vient de connaître des années d'une exaltation très perceptible à « ces frémissements, ces cris du cœur qui secouent, soulèvent parfois [ses] écrits et [ses] discours ». Ces années de fièvre devaient un jour ou l'autre réclamer leur dû. Enfin, comment n'être pas tenté d'évoquer le partage — sensible, lui aussi, à qui le suit d'un peu près — entre son état et sa vocation profonde, et la tension qui en résulte entre ce que demande l'action et ce que commande le devoir d'état ? Lui-même soulève d'une main prudente un coin du voile : « Né peut-être pour la pensée, pour le travail de cabinet, je crois, plus que pour l'action, rien, dans mes occupations ni dans mes études, ne m'avait préparé à un rôle sur la grande scène publique. » L'incertitude perce : « ... peut-être... je crois »... Et tout de suite la main docile à la volonté rabat le voile : « Surtout ne me sentais-je ni la vocation ni l'inclination à un rôle politique, fonction d'ailleurs interdite à un prêtre dans notre conjoncture religieuse. » Pas de vocation ? Tout dépend du sens que l'on donne au mot. Pas même d'inclination ? Il est sincère, rien de plus certain : sincère au point de s'expliquer à lui-même, raisonnablement, qu'il ne peut être question de rêver à une « fonction interdite » au prêtre qu'il est, à l'heure qu'il est. La volonté domine, mais à quel prix ! Au prix d'une tragédie. C'est lui qui choisit le mot, hésite devant son éclat sombre, puis le retient : « Non, se persuade-t-il, je n'ai jamais ambitionné si haute tâche. Et le sentiment de mon impuissance devant la foi, l'espérance démesurées d'une génération, tout cela joint à la pensée du vide funeste qui, par l'absence du chef attendu, dévasterait les esprits, tout cela, dans le temps, il me faut l'avouer, m'a fait souffrir au-delà de ce que j'en puis dire. Souffrance qui a même jeté, dans ma vie, le mot ne me paraît pas trop prétentieux, une part de tragique. »

Mauvaise lecture d'un texte moins clair que je suis porté à le croire? C'est possible. Je voudrais que ce fût certain. J'étais et je reste déterminé à ne pas fouiller les ombres. Mais s'agit-il bien d'ombres? C'est l'auteur des *Mémoires* qui fait la lumière. Il n'est que de lire son témoignage — lentement comme le voulait Sainte-Beuve —, de considérer ce qu'il dit et d'observer sa façon de le dire. Homme de cabinet, Lionel Groulx? Homme de talent, plutôt, et qui excelle comme écrivain, mais dont toute la production intellectuelle débouche sur l'action. Il explique son «éparpillement» — qui est, fait remarquable, de toutes les époques de sa vie — par l'insistance de ses amis et de son public. L'expliquer par l'entraînement de son temps et par la complicité même de l'homme présent à son temps me paraîtrait plus vraisemblable et moins superficiel. Le cas est fréquent, à travers l'histoire, de l'homme d'action dont la créativité se manifeste aussi par une œuvre littéraire; on en pourrait citer des exemples à tous les siècles: le nôtre a connu Churchill et de Gaulle. Par ailleurs, ils ne sont pas rares les écrivains qui se révèlent aussi hommes d'action: Chateaubriand en est un et, près de nous, Malraux. Toute la question est de savoir si Groulx appartient à la première ou à la seconde catégorie. Vers la fin de sa vie, invité à se définir, Malraux répond sans hésiter: écrivain; Lionel Groulx: «né peut-être pour la pensée». Ne nous laissons pas égarer par cette particularité que ce dernier n'a été membre d'aucun gouvernement. À ce sujet, il invoque la «conjoncture», et nous n'aurions pas tort d'en faire autant. Pour ma part, j'incline à voir en lui un homme d'action dont le rayonnement et l'efficacité étaient destinés à s'exercer à retardement, en raison de la lenteur des réactions de la société longtemps figée sur laquelle il a voulu, précisément, agir. Il a cru voir mourir son influence en même temps que diminuait sa «popularité». Il s'est donné l'air d'accepter ce sort avec philosophie. Relisons les quatre lignes sur lesquelles se ferment et le sixième cahier de ses *Mémoires* et la glorieuse période des années trente: « Heureusement, une autre génération allait venir qui m'enseignerait l'humilité. La popularité, la réputation des hommes ou des prétendus chefs tient à peu de chose. Elle dure ce que dure la mode des chapeaux de ces dames: l'espace d'un printemps. » Ce ton-là n'est pas celui de la résignation. Il ne faut pas s'y méprendre, il n'a rien de léger. Il est amer.

Amère aussi, l'époque qui s'ouvre. En 1939, Lionel Groulx est-il en retard d'une guerre? La question pouvait déjà se poser en 1914. Vingt-cinq ans après, voici qu'il s'engage dans une nouvelle résistance anti-impérialiste, et en compagnie d'un Bourassa sorti de la retraite. Dans la perspective historique qui s'est, depuis lors, dégagée avec une netteté certaine, et avec l'indispensable recul de l'après-guerre, on est amené à penser que le Canada ne pouvait pas se soustraire aux responsabilités internationales que le deuxième conflit mondial lui commandait d'assumer. Les avantages du statut national ont leur contrepoids d'obligations. Alors comme aujourd'hui, son destin était lié à celui du monde atlantique et à une certaine forme de civilisation. Cela reconnu, il n'en reste pas moins indispensable de se replonger dans l'atmosphère de ces années ténébreuses. Si les nationalistes du chanoine Groulx retardent, ils le font en nombreuse, brillante et officielle compagnie. La presse exalte l'Angleterre, Churchill exalte « l'Empire », et l'opinion exalte Churchill. Dans la majorité canadienne, la voix du sang se fait entendre. On organise des emprunts de guerre au chant de *There'll Always Be an England.* Les politiciens fédéraux prennent des engagements contre la « conscription » ; c'est là réveiller un thème de 1917. Le gouvernement se fait relever des mêmes engagements par ceux envers qui il ne les a pas contractés. Et comment s'applique-t-on à réduire la résistance canadienne-française ? À la limite, par la force et, quotidiennement, par la propagande. La propagande mobilise l'histoire, conscrit jusqu'à Dollard des Ormeaux et exhume du cimetière des idées non seulement les thèses loyalistes de Chapais, mais aussi des conceptions apparentées à celles de Michel Bibaud. Elle fabrique des grands hommes, et même dans le clergé. L'abbé Arthur Maheux en est un produit. Il se pavane en uniforme de capitaine et publie *Ton histoire est une épopée*. À la gloire de qui ? D'un conquérant de 1760, James Murray ! Pareille ineptie et une médiocrité aussi ingénue ouvrent toutes les portes : « L'incapacité, dit Chateaubriand, est une franc-maçonnerie dont les loges sont en tout pays. » Invité partout, Maheux parle donc beaucoup. Un jour, il pose la question : « Pourquoi sommes-nous divisés ? » L'imprudent. Le 29 novembre 1943, sous les auspices de la Ligue d'action nationale, Lionel Groulx répond par une conférence intitulée : « Pourquoi nous sommes divisés. »

Il dénonce encore l'impérialisme, dans lequel il voit l'expression d'un orgueil de race, ce qui n'est pas faux, en même temps que celle d'une inquiétude inspirée par la crainte qu'éprouveraient les Anglo-Canadiens de tomber, dans le Dominion, au rang de minorité (les premières données du recensement de 1941, on s'en souvient, paraissent justement cette année-là). Il ne s'attarde toutefois pas à ces considérations. Aux esprits timides qui, après l'abbé Maheux — et avant lui : l'auteur de l'*Épopée* n'a rien inventé —, tiennent l'enseignement de l'histoire responsable de la profonde division des Canadiens, il riposte : « Ce n'est pas ce qui s'est passé hier qui nous divise; c'est ce qui se passe aujourd'hui; ce sont les injustices qu'on perpétue. » Il va au fond des choses: « Des peuples différents par la foi, par la langue, par le droit, par les traditions, par la philosophie de la vie, ne pourront jamais penser, sentir, réagir de la même façon... Nous, Canadiens français, nous sommes trop différents. » Au fond des choses — ou presque: pour atteindre le fond, pour toucher le roc, il lui faudrait insister sur le fait de deux sociétés distinctes plutôt que sur les différences qui signalent ce fait; à la suite de quoi, il tombe sous le sens qu'une société désireuse de rester distincte ne va pas s'entendre avec une société organisée de manière à l'assimiler. Il dit: « Dans le Québec, soyons forts de toutes nos forces », et il ne pense pas seulement au levier politique. Lorsqu'il y vient, il distingue entre politiques intérieure et extérieure:

> Nous avons un pouvoir politique. Gardons-le pour nous, entièrement pour nous. Arrachons-le à la domination des puissances financières, aux tentacules d'Ottawa. Surtout ayons une politique. Nous avons besoin de faire grande figure dans la capitale fédérale. Souvenons-nous que, pour un État, la première condition d'une forte politique extérieure, c'est une forte politique intérieure. Voyez où nous a conduits une politique vidée de tout contenu national canadien-français. À Québec, elle nous a amenés à faire les affaires de la minorité; à Ottawa, à faire les affaires de la majorité. Dans le Québec, la minorité en a profité pour saboter notre structure économique et sociale; à Ottawa, la majorité en a profité pour saboter notre structure politique et nationale.

Le cri final va, lui, à l'essentiel. L'orateur voit surgir « un peuple en possession d'une vie organique: vie économique, vie sociale, vie politique, vie culturelle, puissamment hiérarchisées ». Ce chef-d'œuvre, lance-t-il à la jeunesse, « vous nous le ferez pour qu'enfin, dans la vie d'un petit peuple qui n'a jamais eu, quoi qu'on dise, beaucoup de bonheur à revendre, il y ait une heure, un jour de saine revanche, où il pourra se dire comme d'autres: « j'ai un pays à moi; j'ai une âme à moi; j'ai un avenir à moi! » En ces temps de censure et de vigilance armée — le maire de Montréal est détenu dans un camp de concentration —, le discours est audacieux. Son immense succès correspond à la libération de sentiments interdits et d'idées prisonnières. Lionel Groulx, chanoine, soixante-cinq ans, est, un soir, la voix d'un peuple à qui la parole a été enlevée. Est-il plus haute dignité?

Ce n'est pas la dernière fois qu'il intervient en public. Mais le poids de l'action, sur la scène politique, revient désormais à des épaules plus jeunes, celles de ses disciples. Il devient, quant à lui, le sage du nationalisme canadien-français. Voilà bien le rôle qu'il joue dans l'aventure du Bloc populaire canadien. Les créateurs du parti le consultent dès 1942, au moment où quelques cadets de Gascogne, André Laurendeau, René Chaloult, Paul Gouin, en méditent la fondation. Maxime Raymond le consulte au moment d'en accepter la direction. Les factions du parti le consultent toujours au moment où leurs discordes en compromettent l'avenir. Optimiste, il a voulu croire à la possibilité immédiate « d'une politique de régénération ». Quelle déception! Espérait-il vraiment voir ce coup d'essai se transformer tout de suite en coup de maître? Ce n'est pas science facile que de concevoir ses propres institutions, ni opération simple que de les bâtir. Il faut apprendre, il faut peiner.

Quand le Bloc fait sa double sortie ratée, à Québec et à Ottawa, le chanoine approche de sa soixante-dixième année. Il aura vu trop de ruines politiques: celle du groupe « nationaliste » de Bourassa, celles de l'Action libérale nationale, de l'éphémère « Parti national » de Philippe Hamel, du Bloc et, bientôt, de l'Alliance laurentienne. Dans chaque cas, les *Mémoires* attribuent l'échec à quelque défaillance du chef. Se figurerait-il que les troupes attendent le chef? Et s'il se trouvait que l'attente fût mutuelle? Puisqu'il faut quelqu'un sur la brèche, il y reste. Il a beau parler de retraite et même la prendre, il n'en continue pas moins à se multiplier. Il court toujours. Sur son élan: comment pourrait-il en aller autrement? Dans une conférence sur Dollard, en 1960, il proclame n'éprouver « ni la peur d'être réactionnaire, archaïque, emmuré dans les mêmes conventions, ni l'envie morbide de paraître novateur, de [se] conformer à l'esprit *nouvelle vague*, comme on dit ». Cependant tout change, tout a changé. Ses vieux amis disparaissent un à un; il compte ses morts. Il a toujours un entourage et un public. Il est l'objet d'« hommages » répétés. Il se constitue autour de lui une certaine orthodoxie. En même temps qu'apparaît un « groulxisme » inconditionnel, l'opinion se fractionne. Il y a moins de certitude, mais plus de certitudes qu'autrefois. L'unanimité, dit-on, est morte. A-t-elle jamais existé? L'opinion canadienne-française a toujours abrité deux tendances majeures: d'un côté, une majorité qui s'accommode du monde comme il va, accueillante au loyalisme, patiente avec les impérialistes, parlant anglais avec les anglophones, cliente des partis traditionnels, conservatrice, quelle que soit son étiquette, sage avec le clergé, pensant plutôt librement avec ceux qui, sans trop de bruit, en font autant, prenant ses idées à l'étalage et faisant son nid où elle peut; de l'autre, une minorité qui, comme toutes les minorités, se prend volontiers pour une élite, s'applique à redresser les sentiers et les esprits, peuple les sociétés nationales, proclame son attachement à la langue française, lit la bonne presse et parfois les bons livres, manifeste une humeur généralement maussade, incline au cléricalisme, exalte les valeurs rurales et se définit comme nationaliste. Le discrédit dans lequel la guerre a précipité la droite française a décidément tari une des sources intellectuelles de la seconde tendance; quant à la première, la nouvelle outre d'une école sociologique encore balbutiante à l'Université Laval ne saurait empêcher son vieux vin de surir.

Le fait nouveau, après la guerre, c'est qu'il se lève des nationalistes qui, dès les années '35, s'étaient détournés de la vieille droite, restent chrétiens sans verser dans le cléricalisme, sont d'esprit plus libéral que les Libéraux, rejoignent l'essentiel d'une tradition méconnue des Conservateurs et prennent leur inspiration ailleurs que dans des stocks d'idées rancies. Par suite du développement modeste, mais décisif des sciences sociales et des sciences humaines, il se présente, entre hommes nés dans l'une et l'autre tendance de l'opinion canadienne-française, des lieux de rencontre qu'ouvre encore plus largement le déploiement des moyens de communication: radio, télévision surtout. L'histoire renouvelle ses méthodes, ses hypothèses et ses recherches. La critique s'aiguise. Le sous-développement se fait insupportable à mesure qu'il devient sensible. En 1943, dans sa réponse à l'abbé Maheux, le chanoine Groulx avait dit aux jeunes sa confiance de les voir construire un nouveau pays, non sans ajouter, toutefois: «Vous ne le bâtirez point en empruntant à droite et à gauche, à des philosophies étrangères, à des programmes de restauration sociale qui ne sont pas de notre fonds, de notre climat spirituel. Un catholique est trop riche pour emprunter à des communistes ou à des socialistes.» Le 21 juin 1952, au troisième congrès de la langue française, dans ce Colisée de Québec où il avait, quinze ans auparavant, connu un triomphe bientôt mêlé d'amertume, il parle à 15 000 jeunes gens, qu'il aborde ainsi: « Qui donc m'avait dit qu'il n'y a plus de jeunesse?... Mais je vous regarde. Et je ne vous trouve pas si changés. La preuve en est que vous êtes venus entendre un vieillard attardé, démodé, l'un des hommes les plus compromis de la génération des aînés, et qui, tout près de ses soixante-quinze ans, s'accuse, hélas, de croire encore tout ce qu'il a cru, d'espérer tout ce qu'il a espéré, d'aimer toujours ce qu'il a légitimement et passionnément aimé, de n'avoir rien perdu ni vendu des aspirations de sa jeunesse. » Il dénonce le centralisme:

> Péril majeur, puisqu'il met en question la forme du gouvernement derrière laquelle nous croyions avoir abrité notre avenir: le fédéralisme. Débarrassé de toutes ses feintes, qu'est-ce autre chose, le centralisme, que la reprise à la fois subtile et radicale de la pensée politique qui est au fond de notre histoire depuis 1760: politique assimilatrice de 1763, politique des oligarques si ardemment combattue par nos parlementaires de 1810 à 1840, politique de l'union des Canadas destinée à nous tuer nationalement si nos pères n'avaient réussi à la contourner et à la briser, politique unitariste de 1867, également combattue et écartée par nos chefs de ce temps-là. Le centralisme, c'est le coup mortel dirigé contre un état de choses, une liberté, des droits pour lesquels nous avons lutté pendant cent ans: le self-government des provinces, c'est-à-dire aujourd'hui un Québec libre, ni serf ni colonie d'Ottawa.

Un Québec libre! Aux représentants des minorités francophones, il déclare que Québec est le boulevard de leur culture. À tous, il propose une même option: vivre « racinés... dans le roc natal ». Une fois de plus, il est allé au fond des choses. Le reste importe peu. Tous respectent sa fidélité à lui-même. Peu, cependant, s'interdisent de franchir les limites qu'il traçait en 1943. La Révolution tranquille se prépare.

Quand elle éclate, elle le prend par surprise. Parce qu'elle ne vient pas de son entourage, il ne l'a pas vue venir. Il cherche les causes de ce « séisme mystérieux » ; et comme les causes, à ses yeux, sont dans les hommes, c'est-à-dire dans tel ou tel homme, dans tel ou tel chef, il hésite entre le « désormais » de Paul Sauvé, l'« écrit de 6 ou 700 pages » de M. Georges-Émile Lapalme et le parti que prend M. Jean Lesage de donner à la province « la politique qu'elle veut ». Il mentionne aussi, à l'origine de cette commotion, « des courants de pensée des années quarante » qui feraient irruption à la surface de l'événement, en quoi il a raison. Quoi qu'il en soit, il voit très bien l'ampleur et la complexité de la mutation dont le Québec est le théâtre, ou plutôt l'objet. Si l'on met en ordre les commentaires que la Révolution tranquille inspire aux *Mémoires*, il apparaît que leur auteur y distingue trois phénomènes : un fait de culture, un événement politique et une renaissance du nationalisme.

Le fait de culture le jette dans le désarroi. Étonné, il prend soudain conscience de la mutation qui atteint le Québec. Tout commence par la liberté de l'esprit. Elle se reflète immédiatement dans celle des mœurs. C'est d'abord ce qui le frappe. Chez les jeunes, en premier lieu, parce qu'il les a toujours observés ; ensuite, parce qu'ils ne se gênent vraiment pas. La télévision lui apporte des images d'adolescents, presque des enfants, « qui s'ingénient à se défaire le corps » au bruit de « chansonnettes de la plus entière vulgarité ». Quelle affliction lui cause l'observation « des désordres juvéniles, de tant de jeunes vies manquées, tant d'échecs dans les études et les examens, tant de petites filles déflorées, à jamais perdues » !

Il réfléchit: « On dirait l'homme pourri dans ses sources, frappé d'une usure inexorable... Il a perdu sur son corps l'empire souverain de jadis. » Décadence morale liée au problème religieux. Plus près de lui, il considère le milieu qu'il connaît le mieux, puisque c'est le sien, le milieu ecclésiastique; il a la conscience révoltée et le cœur serré à la vue de jeunes confrères poussant jusqu'à l'insubordination la passion de l'activisme, voie qui passe en dehors de leur essentielle vocation; il s'attriste du spectacle offert par ceux qui abandonnent leur ordre, emportés, dit-il, par « la tourmente de la sexualité » (et comment ne pas penser ici au Sainte-Beuve cynique, mais exact, qui remarque: « Ils font de la théologie à vingt ans, il n'y a pas à désespérer qu'ils ne commentent l'*Art d'aimer* à cinquante » ?); surtout, et c'est bien là l'aspect le plus sombre d'un véritable drame, il ne se console pas de voir le clergé, ce grand éducateur, descendre « petit à petit, mais irrévocablement, vers la médiocrité intellectuelle ». Non pas qu'il lui ait échappé qu'une certaine tradition s'usait. Dès 1947 — les *Mémoires* citent ce beau texte —, il a signalé l'excessive facilité avec laquelle ses compatriotes encaissaient, comme il dit, leurs certitudes religieuses: « Et encore, dans les certitudes, aura-t-on moins cherché la possession solide et joyeuse de la vérité transcendante, de la vérité pleine et pure, que le confort bourgeois où l'on se dispense de l'inquiétude et de la recherche laborieuse. » Il a déploré une « possession si incomplète et si superficielle de la vérité » : à rapprocher de la célèbre déclaration de M. Jean Lesage (1961) sur « la possession tranquille de la vérité ».

Témoin de l'espèce de vagabondage intellectuel occasionné par l'ouverture subite de tous les sentiers de la culture, il estime que l'expression même de Révolution tranquille constitue « le plus mensonger des noms ». Point tranquille, cette révolution; au contraire, pense-t-il, extrêmement agitée, chaotique: «Aucun événement dans notre histoire, pas même la Conquête anglaise ne nous aura à ce point remués, ébranlés jusqu'au fond de nos assises... C'était un déferlement fou de vagues fracassantes; tous les reniements à la fois: reniement de l'histoire, des traditions, le dos tourné au passé»... Élaboré dans cette atmosphère, le Rapport Parent le déconcerte. S'il accueille avec satisfaction «le principe de l'accessibilité de tous à l'enseignement qui leur serait propre» et son corollaire, la mise en place des «moyens d'y parvenir», il prévoit le «gâchis» qui sortira de ce «grimoire». Pour préparer la réforme de l'instruction publique, il aurait fallu, pense-t-il, faire appel aux meilleures intelligences; il examine la composition de la commission et conclut: «Hélas! dans cette liste funèbre, pas un seul qui se recommandât par son passé, par la moindre production de l'esprit.»

Sur les temps qui changent, Lionel Groulx s'explique plus brièvement dans ses *Mémoires* qu'il ne le fait dans ses *Chemins de l'Avenir*. Ce dernier livre, a écrit M. Claude Ryan, «restera le recueil des 'impropères' d'une génération à l'endroit d'une autre». Sans être dénuée de fondement, cette critique, qui a visiblement ulcéré l'écrivain — on ne dit pas, même poliment, à un vieillard qu'il a vieilli —, trahit quand même une incompréhension qui vient de loin: des années d'action catholique, tout en restant à cent lieues de la grossièreté de M. Jacques Ferron, qui avait estimé, deux ans plus tôt: «C'est un grand malheur que l'abbé Groulx ait vécu si longtemps. Il aurait dû mourir il y a vingt ans.» Datée du 15 octobre 1964, «en la fête de sainte Thérèse d'Avila», la préface du petit ouvrage contenait ces lignes: «Disons-le: nous assistons à pire qu'au heurt traditionnel des générations. Un abîme s'est creusé entre la génération d'hier et celle d'aujourd'hui... On dirait une race nouvelle surgie d'un tronc vermoulu. Et chacun d'apporter sa pierre mal dégrossie à la construction de la nouvelle Babel. » Qui niera, en effet, que la ligne de partage de 1960 marque bien autre chose que la ligne de passage des années trente ? Entre les pères et les fils de 1930, il y a eu des discussions et des échanges de propos tout à fait dépourvus d'aménité ; les générations se détachaient l'une de l'autre, comme toujours, douloureusement — les générations aussi enfantent dans la douleur. Et que faisait Lionel Groulx, à cette lointaine époque ? Il se rangeait du côté de la jeunesse ; mieux encore, il se mettait à sa tête et parlait en son nom, très rudement : « Vous êtes la dernière génération des morts »... Les adolescents de 1960, dont le sans-gêne, les mœurs et l'incroyance le scandalisent, ce sont des enfants de l'après-guerre. Leur monde n'est pas le sien. Babel, l'image est, en un sens, exacte. Un nouveau langage, des langages nouveaux et, à la vérité, non exempts de confusion, sont nés, qu'il ne comprend pas ; seulement, il a tort en ceci qu'il s'étonne de n'être pas entendu de ceux qu'il n'entend pas lui-même. En un mot, il s'est aperçu, au heurt qu'il en a éprouvé, que quelque chose de très grave se passait ; et il a prononcé un jugement. En historien ? Il eût d'abord cherché à savoir. Mais comme il le reconnaît, « on n'a pas été, toute sa vie, et même malgré soi, un homme d'action » sans qu'il en reste encore, au soir de l'existence, une tentation irrépressible : celle d'intervenir. Et, quand on est Lionel Groulx, de condamner.

La consultation électorale de 1960 est l'événement politique qui précipite la Révolution tranquille. Sur ce terrain, le vieux maître devrait se sentir à l'aise. Il n'en a pas moins un mal infini à concevoir que ceux qu'il appelle

« ces libéraux encroûtés » aient pris la tête du mouvement. Par inadvertance, il situe en 1960 l'utilisation du slogan « Maîtres chez nous ! », alors que, cette année-là, les aspirants au pouvoir réclament plutôt que « ça change ». Le désir de changement anime une opinion d'abord faiblement majoritaire parce que renforcée par un vote nationaliste resté étonnamment stable depuis 1944 et largement fidèle à Duplessis depuis 1948 ; à propos de quoi, l'auteur des *Mémoires* n'a pas tort de faire observer que « beaucoup de nationalistes votaient pour Duplessis, non pas pour Duplessis », mais contre une Opposition trop liée aux Libéraux fédéraux. Il ne semble pas avoir vu, toutefois, que « l'équipe du tonnerre » renferme, à côté d'éléments novateurs, un contingent conservateur lourdement armé. Il a cru être témoin de « la conversion des milieux politiques aux aspirations nouvelles ». C'était assez mal connaître ces milieux. Dans son *Histoire des Girondins*, Lamartine montre toute l'expérience qu'il en a : « Les partis ne savent pas d'abord tout ce qu'ils veulent : c'est le succès qui le leur apprend. Les téméraires lancent en avant des idées perdues : si elles sont repoussées, les habiles les désavouent ; si elles sont suivies, les chefs les reprennent. » Après avoir noté que, sitôt installés aux commandes, les vainqueurs se mettent à l'œuvre « avec une ardeur même un peu inquiétante », il paraît singulier que l'écrivain ne remarque pas le freinage, pourtant visible, de leur élan vers la fin de 1964, moment où leur état-major commence à se démembrer. Pour que les « aspirations nouvelles » fussent l'objet d'une sollicitude durable, il aurait fallu que le vieil appareil qui les avait servies, ou qui s'en était servi, un moment eût lui-même bénéficié d'un renouvellement en profondeur. Mais si l'on veut saisir cette réalité, il importe de ne pas laisser distraire une trop grande part de son attention par les « chefs ». Non pas qu'il faille, par système, refuser toute importance aux personnalités dominantes ou qui semblent l'être: elles jouent alors un rôle considérable. Leur action et jusqu'à leur style correspondent à un besoin précis du moment: un besoin de réformes. Ces hommes qui se distinguent du gros des effectifs conservateurs sont, au sens strict, des réformistes. L'accélération des idées fait — j'allais écrire: ô surprise! — qu'ils introduisent une révolution. Tranquille, assurément, parce que la société n'en veut pas d'autre et qu'elle est destinée à s'étaler sur une période dont on sait maintenant qu'elle est susceptible de discontinuité.

Décontenancé par l'expression culturelle de la Révolution tranquille et perplexe devant son vecteur politique, Lionel Groulx se réjouit de l'allure nationale qu'elle se donne. « Maître chez nous ! » Ce cri de guerre lancé à l'occasion des élections de 1962 ne peut qu'éveiller en lui des échos enchantés. Il y reconnaît sa propre voix. Les *Mémoires* donnent la page de la livraison de *L'Action française* où leur auteur avait employé cette expression en inaugurant l'enquête de sa revue sur le problème économique; ils renvoient aussi à la page de *Directives* où le même texte est reproduit. (Si l'on s'en rapporte aux *Mémoires* de M. Georges-Émile Lapalme, il semble que la formule ait été cueillie, en 1962, dans le dernier paragraphe de la déclaration ministérielle préparée par M. Claude Morin à l'intention de M. Jean Lesage, au moment où celui-ci allait communiquer à la presse la décision de proposer aux électeurs la nationalisation de l'électricité.) De M. Jean Lesage, dont il rappelle qu'il a été « centralisateur à Ottawa sous M. Louis Saint-Laurent », l'écrivain est bien aise de rapporter ces remarquables paroles: « Le temps est passé, dans l'État du Québec, où un ouvrier sera obligé de gagner sa vie en anglais. » C'est pour ajouter: « De semblables propos m'avaient valu jadis, de la part de Jean-Charles Harvey, l'épithète de « révolutionnaire ». Ainsi, tout change. Le vieux lutteur évoque ses beaux combats. C'est permis aux vieux lutteurs. D'autant qu'il a raison de penser qu'il a contribué à l'évolution dont il se réjouit vers la fin de sa vie.

Dans son *René Lévesque*, M. Peter Desbarats s'exprime sans nuance : « Groulx lui-même, s'il n'est mort qu'en 1969 [*sic*], semble déjà rendu aux limbes, et sa pensée dépourvue d'actualité. Son catholicisme et sa défense de trop nombreuses causes perdues au cours des années vingt et trente rendirent son œuvre inutile aux yeux des leaders de la Révolution tranquille, pendant la décennie soixante. » Mais alors, comment expliquer que la Révolution tranquille amène rue Bloomfield un véritable défilé de journalistes désireux de recueillir des commentaires sur ce qui se passe au Québec ? Et il ne s'agit pas seulement de représentants de *La Presse*, du *Devoir*, de *La Patrie* et du *Petit Journal*, mais encore de ceux du *Star Weekly*, de la *Winnipeg Tribune*, de la *Montreal Gazette*... Une pensée dépourvue d'actualité ! Quand, à la mi-septembre 1962, le chanoine Groulx loue le « courage » du gouvernement engagé dans sa campagne en vue de nationaliser l'électricité, son intervention a quelque chose de décisif. M. Lapalme note dans ses *Mémoires* : « Pour nous, ce témoignage s'élevait au niveau du sublime. » La presse y donna un déploiement considérable. Le créateur du ministère des Affaires culturelles ajoute : « Par un renversement des alliances nous opérions un renversement des choses, des prises de position et des idées politiques. Le nationalisme québécois surgissait d'une parcelle d'économie politique et se ralliait à nous. » À moins que ce ne fût, au contraire, un parti traditionnel qui ralliât à cette occasion le nationalisme québécois. Les idées qui font leur chemin perdent en cours de route l'étiquette identifiant ceux qui les ont lancées. La société les adopte-t-elle? Elles en deviennent anonymes. Comme les chansons, elles appartiennent au peuple lorsqu'il leur fait l'honneur de se les approprier. Il est vrai, du reste, que leurs origines sont souvent confuses. Le maître fait école, et l'école fait le maître.

La Révolution tranquille a de lointains ancêtres, dont certains ont pu être contemporains d'Étienne Parent et de Papineau, des Rouges et des Nationaux; elle a des précurseurs dans *L'Action française* et *L'Action nationale*, sûrement dans l'Action libérale nationale et dans le Bloc populaire. Elle est portée par des courants qui viennent de loin, d'aussi loin, sans doute, que le XVIIIe siècle. Depuis les années vingt, les idées de libération économique et politique qui en forment le noyau solide se sont trouvées reprises, relancées, enrichies, clarifiées et façonnées par le verbe intarissable de Lionel Groulx. Quand les troupes libérales, dressées contre ce courant, avaient permis à leurs intellectuels de broder sur leur bannière: «Notre maître, l'avenir», elles étaient allées à l'échec. Elles inscrivent sur leur drapeau: «Maîtres chez nous!» et marchent au triomphe. Il importe peu que, dans l'immédiat, la formule ait été tirée de la rédaction d'un fonctionnaire; elle avait sa source dans l'action de Groulx, qui avait elle-même sa source dans son école; et celle-ci avait mieux que des devanciers: une histoire avant elle, qui se confondait avec l'histoire.

Phénomène complexe, il serait banal de le redire, que celui de la Révolution tranquille. Qu'elle ait eu ses convaincus et ses opportunistes, ses excès et ses lacunes, ses antécédents et ses prolongements, c'est trop évident pour qu'il y ait lieu d'insister. Mais deux points, semble-t-il, méritent d'être notés. Toute révolution détruit. Au lendemain de la Révolution américaine, Benjamin Franklin, « père fondateur », pourtant, de la nouvelle nation, et qui eût refait la révolution si elle avait été à refaire, n'a-t-il pas déploré les ruines que le conflit avait laissées derrière lui dans le grand ensemble britannique ? Au Québec, la Révolution tranquille s'est accompagnée, sur le plan de certaines valeurs morales, d'une transformation et, il faut le reconnaître, de fléchissements amorcés et, sans doute, dissimulés de longue date, en grande partie inconscients aussi, puisqu'un écroulement aussi soudain resterait autrement inexplicable. Dans l'ordre de l'esprit, elle a déclenché, avec le Rapport Parent, un renversement nécessaire qui a entraîné dans le même abîme quelque chose de bon avec le mauvais. Lionel Groulx en a été horrifié. Il n'a pas été seul à constater la rupture de certaines digues : « ...Peut-être, réfléchit M. Lapalme, avions-nous donné trop d'ouverture aux vannes par où s'écoulait le trop-plein des refoulements. » Ainsi pense un « père fondateur ».

Quant au second point, il met en cause l'avenir politique d'une nation. Il y a lieu de l'examiner de près.

IV

INCERTAIN AVENIR POLITIQUE

> Les grandes épreuves d'un peuple, s'il n'en tire ni grandes leçons, ni grands desseins, pèsent indéfiniment sur lui.
>
> De Gaulle

Cette histoire est aussi importante qu'elle est compliquée. Elle flotte à la surface tantôt agitée, tantôt assoupie de l'éternel débat sur l'indépendance. C'est en 1922, alors qu'il inspire, organise et dirige l'enquête de *L'Action française* sur « Notre avenir politique », que Lionel Groulx apporte à cette discussion ce qui paraît bien être en même temps sa contribution essentielle et l'essentiel de sa contribution. Il atteint alors un sommet. Il semble avoir parcouru d'une traite la route qui y mène. Il en est allé autrement du versant de la descente, pente sinueuse, plus longue que douce, semée de rochers « effarables et mal rabotés », pour reprendre les termes dans lesquels Jacques Cartier décrit la Terre de Caïn. Les *Mémoires* font allusion, pour en défendre leur auteur, aux « hésitations » de celui-ci et à ses « balancements entre le fédéralisme et l'indépendance ». Il faut refaire ce cheminement.

Il serait déjà instructif s'il éclairait seulement l'itinéraire d'un chef de file. Il se trouve qu'il témoigne aussi de l'instinct et des perplexités d'une nation.

Nous avons vu entrer l'écrivain à *L'Action française*, en 1917. Il se manifeste dès le deuxième numéro de la revue, dont il rédige l'article de tête: « Une action intellectuelle ». Cinq mois plus tard, il y publie ses pages frémissantes sur « Ce cinquantenaire ». Il y parle de « séparation ». Il importe cependant de voir dans quel contexte se situe ce mot. D'après l'auteur, la crise qui secoue alors le Dominion ne tient pas aux institutions, mais aux héritiers dévoyés des beaux espoirs de 1867. Les violations du « pacte de 1867 », dit-il, et les « agressions » répétées dont la francophonie canadienne a été la victime « furent toujours le fait d'une poignée de fanatiques et d'une turbulence bien au-dessus de leur force réelle ». Mais, il le reconnaît, ces « perturbateurs » n'ont jamais eu de mal à trouver « des complices dans la faiblesse et le manque de courage des hommes d'Ottawa ». Cette collusion l'amène à se demander: « Et pour qui nous prend-on enfin si l'on croit que nous allons prolonger plus longtemps cette alliance de dupes où notre race n'a plus qu'à choisir entre la séparation et l'abdication? » Pour bien marquer qu'il ne s'en prend pas au régime lui-même, mais à la manière dont il a été et reste administré, il ajoute: « Ah! comment aimer son pays et ne pas éprouver un mouvement de douleur et de colère devant toutes les bévues de ces petits hommes qui ont ruiné une grande espérance! » Ruine irréparable? Il voudrait ne pas y croire. Les Canadiens français pourraient, à son sentiment, « reconquérir le respect de l'autre race » si seulement ils jouaient serré avec la majorité canadienne, comme le conseille aux Français, à l'égard des Anglais, « le politique avisé qui, dans la chronique du *Correspondant*, signe *Interim* ». Il leur faudrait, pour cela, pouvoir compter sur des hommes d'État. Or, l'esprit obnubilé par l'impérialisme, « nos gouvernants » ne comprennent plus rien au problème canadien. Sa conclusion se fait passionnée : « Quant à nous, avec notre fierté déprimée, après la trahison de plus en plus manifeste de nos hautes classes dirigeantes, obligés de nous replier sur l'unique réserve de notre jeunesse et de nos classes pauvres, race décapitée, acculée à tout l'inconnu de demain et presque à la menace d'un *Sonderbund*, nous sentons trembler entre nos doigts le flambeau de nos destinées, et la grande force surhumaine nous fait ployer les genoux et joindre les mains. »

En 1917, il sait encore relativement peu de chose de la Confédération. Il en a une conception qui reflète son milieu provincial et ses aspirations québécoises beaucoup plus qu'elle ne correspond à l'évolution du Dominion depuis 1867. Historien, il étudiera surtout la naissance du régime et une de ses conséquences, l'abaissement de la langue française à l'extérieur du Québec. Publiciste, il dénonce, à l'exemple de Bourassa, la politique extérieure du Canada et multiplie les interventions afin de faire introduire du français dans les services fédéraux, d'y assurer plus d'influence aux francophones et d'engager le Dominion à se parer des attributs de l'indépendance. Lorsqu'il décide, en 1917, de traiter des origines de la fédération, il entreprend sa troisième année d'enseignement universitaire, et ses débuts professionnels, nous le savons, se trouvent être en même temps sa période de formation. Il avoue que son « sujet » lui est « dicté par les circonstances ». Sollicité, comme il le sera toujours, par le rôle des chefs, il mesure la stature des « Pères » du

Dominion et réduit considérablement la taille de ces politiciens de modèle courant; il juge avec raison les collaborateurs francophones de Macdonald « pauvres d'idées, pauvres de culture générale, de bon sens et d'adresse ». Le culte que leur vouait une opinion naïve en est atteint. Progrès indéniable. C'est cependant une chose que de remettre à leur rang, qui est médiocre, les « Pères » québécois; c'en est une autre que d'apprécier la réduction d'un peuple au statut provincial.

Qu'est-ce donc à ses yeux que d'être « nationaliste » en 1917? Les *Mémoires* résument: pour le Québec, « notre province », c'est, « dans tous les ordres, préparer un renouveau de la petite patrie »; pour le Canada, c'est sortir du « colonialisme ». En somme, l'objectif « nationaliste » est de « mener la petite et la grande patrie à l'âge adulte ». L'écrivain déclare que ces idées l'ont « fouetté » et lui ont « fait concevoir encore mieux les sévères exigences de [son] métier d'historien ». Il vient tout juste de plonger avec conviction dans la vague régionaliste et de s'y rafraîchir avec *Les Rapaillages*. Va-t-il s'y noyer? Ceux qui veulent faire vite sont tentés de trouver consolation dans le folklore quand l'histoire leur échappe. Lionel Groulx suit cette mode sans toutefois s'y diluer. Pour l'heure, si Adjutor Rivard l'intéresse, Henri Bourassa le fascine. Depuis 1901, l'homme lui paraît grand, « au-dessus de la plèbe politicienne ». Lorsque l'abbé part pour Rome, en 1906, il emporte avec lui, raconte-t-il, l'image du chef nationaliste; c'est que « la jeunesse ecclésiastique s'attachait fortement à l'astre nouveau ». Il boira ses paroles dans *Le Devoir*, dans les soirées du Mile End, et au Monument national, comme il les aura bues, avec délices, au pied de la chaire de Notre-Dame. Grande patrie canadienne, petite patrie québécoise, ce système reste le sien en 1919. « Si Dollard revenait », imagine-t-il, cette année-là. Et il met dans la bouche du héros exactement les propos qui suivent: « Oui, nous avons une patrie et même nous n'en avons qu'une. La patrie, a dit Mgr Paquet après saint Thomas, c'est le sol qui nous a vus naître et où nous avons grandi. Et le sol qui nous a vus naître et où nous avons grandi, c'est, jusqu'à nouvel ordre, le Canada.» Dollard ne se contente pas — régionalisme philosophique — de citer Mgr Paquet; il conclut, péremptoire, en donnant « raison à la race française de considérer tout le Canada comme sa patrie». Puis, reprenant la parole, l'abbé enchaîne pour son compte: « Mais, dans la grande patrie, nous du Québec avons une petite patrie, notre province française. C'est entre Montréal et Tadoussac que résidèrent longtemps le berceau et le foyer de notre race.» En 1920, il ferme l'enquête menée par *L'Action française* sur le problème économique en frappant la formule de l'« État français» dont il y a lieu de reconnaître l'existence au Québec. En 1921, nous le savons, s'il diagnostique un « mal du fédéralisme», il le voit beaucoup moins dans le régime lui-même que dans la façon dont on le fait fonctionner et dans « les idées qui prédominent, à l'heure actuelle, au siège du gouvernement central».

En 1921-1922, il fait un long séjour en Europe et passe la plus grande partie de son temps à Paris, où les idées vont vite et d'où beaucoup de choses paraissent possibles. Il n'y aurait rien d'étonnant à ce qu'il ait été emporté par cette espèce d'accélération intellectuelle. Il raconte lui-même que, vivant alors dans la prestigieuse capitale, il se trouve bien placé pour suivre l'évolution de la conjoncture internationale. Il est frappé par le déclin de l'Empire britannique et la croissance rapide de la puissance américaine. C'est dans ces dispositions qu'il écrit « Notre avenir», la première des douze contributions à l'enquête que *L'Action française* poursuit en 1922 sur «Notre avenir politique». Son intelligence a beau baigner dans l'atmosphère stimulante de la Ville Lumière, elle n'en construit pas moins ses conceptions sur le socle d'une observation et d'un raisonnement pris dans l'œuvre de Bourassa. Dans *Grande-Bretagne et Canada* (1901), l'homme politique voit le Dominion attiré «en sens inverse» par les deux impérialismes britannique et américain. Il se demande: «Pourrons-nous développer assez de force intérieure pour maintenir l'équilibre et conserver, disons pendant un autre siècle, ce statu quo qui serait pour notre peuple le plus grand des bonheurs?» Ou bien serons-nous entraînés prématurément «vers des destins nouveaux»? Nul ne sait, répond-il; il est certain, cependant, que les Canadiens français doivent se préparer à tout.

Si attentif soit-il à se mettre sous l'égide de Bourassa, le directeur de *L'Action française* tient fermement les commandes de l'enquête. Il en rédige l'introduction et la conclusion. Dans la première, il commence par promener un vaste regard sur l'horizon international: l'Europe s'affaiblit, remarque-t-il après Demangeon, qui vient de publier *Le Déclin de l'Europe* (1920); la politique triomphante des États-Unis est en voie de déplacer de l'Atlantique au Pacifique le centre de gravité du monde; la Grande-Bretagne chancelle, et son impérialisme devient «une formule politique surannée, impuissante à soutenir le choc des prochaines réalités». Il jette ensuite les yeux sur le Canada, construction ambitieuse qui lui paraît sillonnée de profondes lézardes: l'Ouest réclame le libre-échange, cependant que l'Est demeure protectionniste; les «rivalités de race» persistent; la situation faite au français dans les services du gouvernement central « constitue l'application la plus déloyale qui soit du pacte fédéral » ; la « race » anglo-saxonne est impérialiste et la française, autonomiste ; les immigrants américains envahissent l'Ouest, aggravant encore les forces centrifuges de la géographie ; enfin, « le fédéralisme colonial tel qu'établi dans les deux Amériques et l'Australasie » a quelque chose d'artificiel et paraît susceptible de dislocation. Cette convergence d'instabilités diverses l'amène à écrire : « Puisque l'ordre actuel ne doit pas durer, puisque le dessin de la confédération canadienne [n'] est rien moins qu'immuable, nous disons, nous : arrêtons là notre ancien programme. Nous ne pouvons continuer d'organiser notre avenir dans un cadre périmé. » Et quelques lignes plus bas : « Mais quand un dénouement se fait pressentir avec tous les caractères de l'inévitable, n'est-ce pas un devoir rigoureux de parer aux événements prochains ? Nous professons, pour notre part, que le déterminisme économique ou géographique, si puissant soit-il, ne fait pas seul l'histoire, mais que les principaux agents en demeureront plutôt la prescience et la volonté des hommes. Un peuple n'est pas un être passif et fatal. Être de liberté, il n'a qu'à le vouloir pour faire sa destinée beaucoup plus qu'elle ne lui est faite. »

L'auteur se tourne ensuite vers l'histoire. Elle nous révèle, affirme-t-il, que, depuis l'époque lointaine où nous avons pris conscience d'exister en tant que collectivité, « le rêve d'une indépendance française ne cesse plus de hanter l'esprit de la race ». Et d'évoquer l'attitude des vaincus au lendemain de la Conquête, leur prise de position face aux Loyalistes, l'usage courant de l'expression de « nation canadienne » ; puis il recourt au témoignage des hommes : Étienne Parent, les Patriotes de 1837, Lafontaine ; enfin, il fait allusion à des œuvres « comme l'*Avenir du peuple canadien-français* d'Edmond de Nevers, ou le roman *Pour la patrie* de Jules-Paul Tardivel». Ce survol de l'histoire lui dicte une observation d'ordre général: «Partout où une collectivité humaine, consciente de sa vie et de son patrimoine moral, trouve un jour à trembler pour la possession ou l'intégrité de ses biens, dès lors un pressant instinct de conservation la pousse à mettre son patrimoine hors d'atteinte. D'elle-même, par une force plus puissante que sa volonté, elle s'arrache aux tutelles oppressives, elle cherche des conditions d'existence qui lui procurent la sécurité; elle s'organise en État.»

Voilà où le mène une logique fondée sur l'histoire et appuyée sur l'examen de la situation mondiale. À ce point, il s'arrête. Au cours de ce cheminement, des hypothèses se seraient-elles métamorphosées en système? Il prévoit des objections et ménage des étapes. Lui opposera-t-on qu'il semble faire reposer ses vues sur le principe des nationalités? Il rétorque: «Cette formule de notre avenir politique, on nous fera cette justice de le penser, ne se fonde point sur le principe des nationalités, sur le droit des peuples à disposer d'eux-mêmes. En prévision du désarroi prochain, nous revendiquons seulement le droit élémentaire de ne subir la loi de personne, mais de nous préparer, avec l'aide de Dieu, la destinée de notre choix.» Les minorités francophones du Canada s'inquiéteraient-elles? Si légitimes que soient leurs alarmes, ces collectivités feraient bien de les modérer: «La déclaration en a été faite tout à l'heure: nous ne courons au-devant d'aucune séparation; nous n'accepterons que celles-là seules que viendront nous imposer la nécessité ou les hasards de l'histoire et contre lesquelles, par conséquent, ni les uns ni les autres ne pourrions quoi que ce soit.» Du reste, notre amitié à leur égard se situe au-delà des «liens politiques actuels» et naît de sentiments que favoriserait «un plus parfait exercice de notre personnalité nationale». Quelles seraient les frontières du nouvel État? Celles d'un pays viable, capable de se soutenir en face d'un voisin puissant; celles d'une nation édifiée non seulement dans l'optique de certains «principes spirituels», mais aussi «selon les lois de la géographie politique et économique»; au surplus, «des spécialistes devront s'appliquer à déterminer notre futur territoire». Quand, enfin, ce grand projet sera-t-il susceptible de réalisation? Des étapes, imagine l'écrivain, sont à prévoir; il prononce le mot: «Avant d'atteindre notre fin suprême, peut-être nous faudra-t-il subir des étapes intermédiaires, traverser temporairement, par exemple, une période d'indépendance canadienne, ou d'annexion américaine ou peut-être même adhérer, comme partie intégrante, à une fédération plus restreinte.» Il n'est question de «rien brusquer». Il s'agit, avant tout, d'avoir un «idéal politique»; et «constituer, aussitôt que le voudra la Providence, un État français indépendant, telle doit être, dès aujourd'hui, l'aspiration où s'animeront nos labeurs, le flambeau qui ne doit plus s'éteindre». Il ne faut pas que cette lumière reste sous le boisseau. Faute d'un «haut dessein», l'apathie nous gagne: «Celui que nous avait donné 1867 n'eut jamais sur notre race de prise véritable.» Telles sont les vues de Lionel Groulx au début de l'enquête de 1922.

Elles sont encore plus nettes au terme de l'enquête. Entre le commencement et la fin des travaux de son équipe, il semble au directeur de *L'Action française* que les événements n'ont fait que confirmer les tendances majeures qu'il signalait dans son premier article. Ainsi, des élections générales ont eu lieu au Canada. Elles ont inspiré à Henri Bourassa, «l'homme qui a porté sur nos problèmes le regard le plus vigoureux et le plus pénétrant», les commentaires suivants (*Le Devoir*, 23 décembre 1921), que cite Lionel Groulx: «La Confédération a vécu, en puissance. Durera-t-elle vingt ans ou trente ans, je l'ignore; mais elle doit se dissoudre un jour. En annexant cet immense territoire de l'Ouest où devait pénétrer l'influence américaine, les pères de la Confédération ont fait une erreur capitale. Ils ont mis le poison dans le berceau de l'enfant.»

L'écrivain refait son tour d'horizon de l'année précédente. Encore plus clairement qu'alors, il voit, «au sein de l'empire anglais, des signes de caducité». Les Canadiens français peuvent-ils aspirer légitimement à évacuer cet édifice immense, mais branlant? Un philosophe du Séminaire de Québec, l'abbé Arthur Robert, de qui le directeur de *L'Action française* s'est assuré la collaboration, a répondu, après d'infinies précautions: «Les Canadiens français qui doutent de la durée du lien britannique et du maintien de la Confédération, peuvent donc, en toute sécurité d'esprit, se préparer à faire un profitable usage d'une complète indépendance. Le droit naturel et la philosophie catholique les justifient d'agir ainsi.» Les États-Unis? Dans son premier texte, l'animateur de l'enquête avait fait allusion à leur puissance et à la crainte que pouvait susciter leur énorme force d'attraction; après l'étude que lui a fournie Anatole Vanier, il sent ses appréhensions diminuer et va jusqu'à comparer à un «épouvantail» le voisinage de la grande République. Pourquoi? À cause du problème noir, des oppositions, là aussi, de l'Est et de l'Ouest, de l'intensification des «luttes sociales». L'annexion se présente à son esprit sous la forme d'une échéance bien problématique et, en tout cas, lointaine: «À vrai dire, nous concevons mal des hommes d'État réalistes gouvernant, de Washington, le territoire du Keewatin et du Yukon, conviant au même pacte social, essayant de fondre dans la même nationalité, le nègre du Texas et le colon de l'Abitibi. »

Les obstacles extérieurs ne l'effraient plus guère. Ceux de l'intérieur ? Il en distingue trois : l'existence de minorités au Québec, la « prépondérance économique » de l'une d'entre elles et le danger d'une rupture avec les francophones de l'Ouest. Sur le premier point, il pense que l'organisation de rapports normaux avec « les races étrangères à l'intérieur de l'État français » apparaîtra comme une tâche à laquelle les Québécois ne seront pas inégaux, le jour où, redevenus maîtres chez eux, ils auront appris à se comporter en majorité consciente de ses responsabilités et de ses droits. Mais il se trouve au Québec une minorité dominante ; il ne se le dissimule pas : « la présence de l'étranger chez nous, sa mainmise sur nos matières premières, sur nos ressources naturelles, nos industries, nos voies de transport, constituent peut-être le plus grave empêchement à l'existence d'un État français indépendant ». Si considérable soit-elle, cette difficulté, estime-t-il après Georges Pelletier, ne serait pas « invincible ». Quant au sort des communautés francophones que l'histoire a semées outre-frontières, il y est sensible et il a indiqué, dans son introduction, les convictions qu'il entretient à ce sujet ; l'article que lui a donné le P. Rodrigue Villeneuve sur « nos frères de la dispersion » contribue à raffermir sa propre opinion.

Comment surmonter les obstacles extérieurs et les difficultés intérieures ? Il répond : en refaisant le plein de nos « énergies morales » et en les ordonnant toutes à un « idéal national ». Il avait terminé son introduction en observant que le projet collectif proposé aux Canadiens français en 1867 n'avait jamais eu sur eux de « prise véritable». La conclusion de l'enquête développe cette idée. C'est une critique du régime fédéral, non plus de sa mise en application, mais de sa nature elle-même; et cette critique atteint la notion de communauté nationale que le régime impose au Canada français dans la mesure où celui-ci l'accepte comme définitif. «Nous souffrons, dit l'écrivain, de désorientation essentielle.» Il précise: «Entre l'idéal politique de notre peuple et l'effort de survivance qu'il a fallu soutenir, la proportion ne fut nullement exacte. L'un et l'autre ne furent pas au même plan moral. Qu'avons-nous fait, en réalité, depuis cinquante ans? Nous avons conjuré notre peuple de se défendre, d'organiser sa vie selon la dignité d'un État français, tout en lui interdisant cette aspiration.» Il remonte à la date critique, 1841: c'est l'instauration du régime de l'Union, la confirmation de la Conquête, le second volet de l'opération conquête. Plus tard, quand il aura pris de l'âge et de l'érudition, son instinct se fera moins sûr à cet égard, et il trouvera une compensation excessive dans les manœuvres de Lafontaine. Pour l'instant, 1841, c'est à ses yeux un «mariage mixte»; entendons une chose interdite et un scandale. Il enchaîne:

> Quand ce mariage fut sur le point de se rompre par un éclatant divorce, au lieu de reprendre notre liberté, nous sommes entrés dans une alliance nouvelle où bientôt figurèrent à nos côtés, trois, puis quatre, puis six, puis huit partenaires nouveaux. Pour nous, ce fut une erreur. Et si les plus graves raisons paraissaient imposer ce dénouement, fallait-il du même coup que cette dernière évolution politique nous dispensât d'ordonner notre vie? À tout le moins eût-il été séant de ne point présenter au peuple, comme un état définitif, ce qui ne pouvait être que temporaire. Après la dure expérience de l'union de 1841, en présence de la conformation géographique du deuxième État fédératif, des politiques plus clairvoyants eussent pu, ce nous

semble, se défendre de la chimère. Ils pouvaient solliciter de notre peuple une coopération loyale à la fédération, sans lui demander de s'asseoir définitivement dans l'instable, sans lui arracher ses aspirations légitimes vers un avenir uniquement ajourné.

Il importe de retenir ce qu'il affirme: entrer dans la Confédération et s'y fixer comme s'ils pouvaient réellement s'y installer à demeure, pour les Québécois, « ce fut une erreur », mère de bien d'autres aberrations. Dans l'ordre politique, « nous ne savions plus même s'il fallait continuer de rester maîtres chez nous » ; dans un autre ordre, « nous avions cessé de percevoir les rapports de l'économique et du national » ; sur le plan moral, nous ouvrions les portes à toutes les invasions: « modes américaines », anglomanie, syndicalisme étranger pour les travailleurs, sociétés neutres pour les bourgeois, c'étaient là autant de signes de « l'abdication des âmes » ; dans l'ordre intellectuel, l'anglicisation de la bourgeoisie poussait à celle de l'école et l'étroitesse de la vie provinciale, au « déracinement des esprits ». Cette cascade de fautes tient à une faute initiale, qui se révèle dans ses conséquences. La logique de Lionel Groulx prend ici une expression implacable: « Quand un idéal politique ou national a produit de pareils résultats ou s'est montré impuissant à les empêcher, un peuple n'a plus qu'à en changer ou à continuer de mourir. La preuve est faite: depuis la Confédération, nous avons discontinué la race; ce fut l'arrêt soudain d'une histoire, l'interruption d'un effort qui, depuis deux cents ans, coordonnait laborieusement vers leur fin naturelle les énergies de la Nouvelle-France. » Il n'est pas de plus nette condamnation. L'absence de rhétorique est ici révélatrice. On est en face de faits secs, purs de commentaires, et d'un raisonnement nu.

Le raisonnement avance. Désorientés, les Canadiens français ont besoin d'un point d'orientation; ils ont besoin de tendre vers un but, celui qu'ils ont eu au bout de leur regard durant cent ans après la Conquête. « Cette aspiration, déclare l'historien, le dualisme politique de 1840 et de 1867 l'a affaiblie, parce que l'idéal qui est un, ne peut souffrir ces dédoublements. C'est donc elle, la vieille espérance des ancêtres, qui seule, dans le passé, a pu tenir le rôle et la dignité d'une fin, c'est elle qu'il faut ranimer. Elle est d'ailleurs dans la logique de l'avenir; elle jaillit de notre histoire comme sa fleur naturelle; et c'est elle, au fond, avec ses faibles lueurs subsistantes, qui nous a empêchés de sombrer totalement. »

Une fois de plus, Lionel Groulx est allé loin, plus loin que jamais, aussi loin que possible. Peut-être même plus. Il s'arrête. Est-il suivi? Le sera-t-il? Un chef n'est pas un solitaire. Sans faire un pas en arrière, il se retourne vers son point de départ. Le tacticien, maintenant, fait place au stratège. Il reprend: « Cependant nous tenons à le répéter une dernière fois: notre volonté d'indépendance ne se fonde point sur de vagues et suspectes idéologies. Nous ne voulons pas être des destructeurs. Si les effets pernicieux du fédéralisme actuel pouvaient être neutralisés, il vaudrait mieux, dans l'intérêt même de nos espérances, que notre jeune force eût le temps de s'accroître. Mais la destruction est commencée par d'autres que par nous et nous refusons d'asseoir notre avenir à l'ombre d'une muraille en ruine. » Précaution oratoire? Ménagement, certes, et dicté par la prudence. Prudence ecclésiastique d'abord: on sait l'attitude de l'Église, notamment celle de l'Église canadienne, à l'égard du « pouvoir établi », et le théologien de l'enquête de *L'Action française*, l'abbé Robert, a pris le plus grand soin d'avertir le lecteur que sa « dissertation » est du « domaine de l'*abstrait*». Prudence politique ensuite: la doctrine nationaliste de l'heure est fédéraliste; si Lionel Groulx dénonce en 1922 le «dualisme» que la Confédération impose au patriotisme canadien-français, il reconnaissait hier encore la fidélité réclamée, d'une part, par la «grande patrie» canadienne et, de l'autre, par la «petite patrie» québécoise; il ne peut laisser d'être conscient de prendre au moins quelque distance à l'égard du courant principal de l'idéologie régnante. Donc, prudence du chef aussi. Il écrit bien «nous». Qui, nous? Quantité imposante encore que vague, et peut-être impressionnante parce qu'imprécise. Ce lourd collectif pèse sur sa démarche. Son action peut être (ou sembler) forte du fait qu'elle est d'un groupe; sa pensée, non. Personnelle, elle serait libre, elle irait où elle voudrait. Parlant en chef, il lui faut penser de même: servitude et grandeur.

Mais, attention! ce qu'il ne faut surtout pas oublier, en ce moment, c'est que la pensée de Groulx est celle de l'homme d'action. L'homme d'action n'est pas seulement et pas essentiellement l'homme qui agit; ce n'est pas l'homme qui agit plus qu'il ne réfléchit; c'est l'homme qui, d'instinct, fait confiance à l'action non seulement pour faire avancer les choses, mais pour faire progresser la pensée. «Le devoir du moment, proclame-t-il, c'est donc de rallumer le flambeau ancien et d'empêcher qu'on ne l'éteigne jamais.» Il ne dit pas: «le devoir», cette abstraction, mais bien «le devoir du moment», obligation concrète à laquelle doit répondre une action immédiate. Il vient de montrer du doigt la «muraille en ruine». Décombres commodes, à la vérité. Peu s'en faudrait qu'il ne donnât l'impression de pouvoir s'en passer. Il le dit trop vite pour qu'on s'y arrête, mais, au détour d'une phrase, il le dit: «L'idéal d'un État français va correspondre de plus en plus parmi nous à une espèce d'impulsion vitale. Quand les incertitudes politiques ne l'imposeraient point, la pensée des chefs y devra venir; elle y vient déjà par l'insuffisance des doctrines actuelles»... Il en propose donc une nouvelle et invite à s'y rallier. Qu'elle s'en souvienne, lui dit-il, «il y a des heures qui ne sonnent jamais deux fois dans la vie d'une nation. Quant à nous, pas plus qu'elle, nous ne voulons être des idéalistes spéculatifs.» Il vient de retrouver le «nous» du porte-étendard et du porte-parole; il reprend le ton du chef pour conclure: «Nous ne promettons pas d'agir; nous avons commencé.»

Réunis en volume, les articles qui composent l'enquête de 1922 paraissent l'année suivante sous le titre de *Notre avenir politique*. Ce livre est une bombe. Posée au pied de la «muraille en ruine», elle aura certainement l'effet de l'ébranler et de la secouer longuement. Ce qui se produit, c'est une réaction en chaîne. Celui qui l'a déclenchée n'en est plus le maître. Il aura beau chercher à en atténuer le bruit, s'expliquer et même donner des définitions diverses de l'engin qu'il a construit, ce dernier continue à fonctionner indépendamment de son créateur. Le premier résultat atteint par *Notre avenir politique* est d'apporter, de l'indépendance du Québec, la justification la plus forte qu'on ait pu élaborer à l'époque et pour longtemps; cela, au surplus, sur tous les plans: historique, économique, politique, moral, théologique même. La qualité des auteurs contribue à exorciser le projet qu'ils exposent. On trouve parmi eux trois abbés: Groulx, Perrier, Robert; un Dominicain: Ceslas Forest; un Oblat promis à un grand avenir: Villeneuve; un Jésuite: Alexandre Dugré (sous un pseudonyme, il est vrai); le futur directeur du *Devoir*: Georges Pelletier... Ensuite, le thème a de quoi passionner les esprits. Il fait sursauter Henri Bourassa, en attendant de séduire André Laurendeau et de rendre perplexe celui-là même qui l'a relancé.

L'épisode Bourassa est plein d'intérêt, et à plus d'un titre. L'exaspération du célèbre orateur se conçoit. En excipant de lui, *L'Action française* croyait-elle l'amadouer? Si le directeur de la revue le cite avec exactitude, il semble oublier un peu trop cavalièrement que l'auteur de *Grande-Bretagne et Canada* dit du statu quo qu'il «serait pour notre peuple le plus grand des bonheurs». Il est allé jusqu'à évoquer *Pour la patrie*, dont le sous-titre est *Roman du XXe siècle*. C'est un livre séparatiste. Tardivel emploie le terme sans réticence. Il conserve, du reste, l'habitude d'aller au fond des choses, sans avoir peur des mots. Son roman à thèse est de 1895. En 1901, il publie dans son journal, *La Vérité*, dont Groulx est un lecteur, un important article sur l'indépendance. On n'a pas à se demander de quelle indépendance il est question. Les Canadiens français, affirme l'éminent journaliste, aspirent à créer «un État français, libre, indépendant, autonome». Il faut suivre son raisonnement; la façon dont il s'exprime, les mots eux-mêmes ont leur importance:

> Cet espoir doit être au fond de tout cœur canadien-français vraiment patriote. S'il n'y était pas, les efforts que nous faisons pour garder notre langue, nos institutions, notre nationalité, n'auraient aucun sens. Pourquoi nous donner tant de mal pour conserver notre existence propre, si nous ne comptons pas qu'un jour, connu de Dieu seul, cette existence recevra son plein développement? La lutte pour préserver intacte la nationalité canadienne-française, au milieu des vicissitudes politiques par lesquelles notre peuple a passé, sup-

pose nécessairement l'intention de former, un jour, une *nation* canadienne-française.

C'est exactement l'argumentation que Groulx reprend en 1922. Tout auteur a ses sources. En veut-on davantage? « Nous retournerions ainsi, réfléchit Tardivel, à la position relativement avantageuse où nous étions avant la néfaste Union des deux Canadas. » Réflexion que le Groulx de 1922 n'a pas oubliée. En veut-on encore? « Et si ce projet est jugé impossible — nous avouons que la réalisation en serait difficile — faisons tous nos efforts pour maintenir le *statu quo* jusqu'à ce que notre élément soit numériquement assez fort pour faire face à toutes les éventualités, à toutes les situations. »

Ce n'est pas tout. Le directeur de *La Vérité* a été aussi explicite que possible. Non seulement a-t-il précisé quelle indépendance il préconisait, mais il a marqué quelle indépendance il refusait. Il importe, une fois de plus, de le citer: « Mais si par *indépendance du Canada*, on entend l'indépendance du Canada *tel qu'il est*; la rupture pure et simple du lien colonial, du lien qui nous unit à l'Angleterre, et le maintien des liens qui enchaînent les provinces les unes aux autres, nous n'en sommes pas du tout. Nous n'aurions rien à gagner à une semblable indépendance; car nous ne cesserions pas d'être la minorité dans ce Canada indépendant... Ce serait ou l'écrasement de notre race, ou la guerre civile, deux choses à éviter. » On ne saurait disputer à Tardivel le mérite d'être clair. Il se trouve que cette idée est l'exact contre-pied de la doctrine de Bourassa. Groulx ne peut pas manquer de le savoir. Et Bourassa, donc! Lui et Tardivel ont eu l'occasion de s'expliquer en public. Un mois après la fondation du *Nationaliste*, le directeur de *La Vérité* expose en quoi sa position diffère de celle du nouvel hebdomadaire et de la Ligue dont celui-ci est l'organe. Ce texte est remarquable :

> Notre nationalisme à nous est le nationalisme canadien-français. Nous travaillons, depuis 23 ans, au développement du sentiment national canadien-français ; ce que nous voulons voir fleurir, c'est le patriotisme canadien-français ; les nôtres, pour nous, ce sont les Canadiens français ; la patrie, pour nous, nous ne disons pas que c'est précisément la province de Québec, mais le Canada français ; la nation que nous voulons voir se fonder à l'heure marquée par la divine Providence, c'est la nation canadienne-française. Ces messieurs de la Ligue paraissent se placer à un autre point de vue. On dirait qu'ils veulent travailler au développement d'un sentiment canadien, indépendamment de toute question d'origine, de langue, de religion.

Non moins remarquable est la riposte de Bourassa :

> Notre nationalisme à nous est le nationalisme canadien fondé sur la dualité des races et sur les traditions particulières que cette dualité comporte. Nous travaillons au développement du patriotisme canadien qui est à nos yeux la meilleure garantie de l'existence des deux races et du respect mutuel qu'elles se doivent. Les nôtres, pour nous comme pour M. Tardivel, sont les Canadiens français ; mais les Anglo-Canadiens ne sont pas des étrangers, et nous regardons comme des alliés tous ceux d'entre eux qui nous respectent et qui veulent comme nous le maintien intégral de l'autonomie canadienne. La patrie, pour nous, c'est le Canada tout entier, c'est-à-dire une fédération de races distinctes et de provinces autonomes. La nation que nous voulons voir se développer, c'est la nation canadienne, composée des Canadiens français et des Canadiens anglais, c'est-à-dire de deux éléments séparés par la langue et la religion, et par les dispositions légales nécessaires à la conservation de leurs traditions respectives, mais

unies dans un sentiment de confraternité, dans un commun attachement à la patrie commune.

La fermeté et l'honnêteté de cet échange de vues honorent également les deux interlocuteurs. Pas de tactique, pas de tours d'adresse, pas de faux-fuyants, mais un affrontement sec. Voilà deux doctrines inconciliables. Comment citer Bourassa tout en s'inspirant de Tardivel? En 1922, le dernier est mort depuis dix-sept ans. Le premier, bien vivant, réagit. L'année où paraît en librairie *Notre avenir politique*, il prononce une conférence qui veut en être une réfutation. Ce discours contient les principaux arguments qu'il est possible de retenir contre l'indépendance du Québec. Ils ont, d'ailleurs, été si bien retenus que, trente-sept ans après, le 29 janvier 1960, *Le Devoir* en a publié un important extrait et que «le doyen des séparatistes», M. Raymond Barbeau, en a prix texte, au sens propre, pour écrire sa brochure, *J'ai choisi l'indépendance* (1961).

Qu'y déclare Bourassa? Essentiellement ce qu'il a répliqué à Tardivel en 1904: que «l'ensemble de la Confédération canadienne» est, «pour l'heure, la patrie de tous les Canadiens, la nôtre comme celle des Anglo-Canadiens». Ses principales considérations procèdent de celle-là. Sans mentionner *L'Action française*, il fait allusion à un «groupe de jeunes Canadiens français» qui s'évertuent «à préconiser la formation d'un État français dont les limites correspondraient à peu près à celles du Québec actuel». Leur rêve, décide-t-il, n'est pas plus réalisable que n'est désirable leur objectif. À ces esprits qui voient un peu vite s'effondrer l'Empire britannique, vaciller les États-Unis et crouler la fédération canadienne, il remontre qu'ils imaginent «une conjonction d'événements et de circonstances tellement improbables qu'il serait oiseux, à moins d'avoir beaucoup de temps et de mots à perdre, de s'arrêter à les envisager». À lui seul, l'obstacle économique lui paraît insurmontable; insurmontable aussi l'opposition du reste du Canada, celle de la finance et du commerce montréalais, celle même «d'un nombre considérable de Canadiens français», leur individualisme atavique rendant «presque impossible l'accord national». Il fait valoir «la rupture définitive et radicale entre le groupe français du Québec et ceux des autres provinces canadiennes». En plus de trahir une perte certaine du sens des proportions, ces songeries, poursuit l'orateur, portent ceux qui les entretiennent à négliger «les humbles mais nécessaires devoirs de chaque jour». Et de condamner les excès du nationalisme: «Les tendances du nationalisme immodéré, ici comme ailleurs, vont à l'encontre du patriotisme réel et du vrai nationalisme.» Mais le Canada n'a-t-il pas montré une hostilité invétérée à la culture française? Il n'importe, répond l'orateur, à cheval sur ses nobles principes: les persécutés ne sauraient se soustraire au «devoir de fidélité». Il se retranche derrière la doctrine traditionnelle de l'Église catholique: si des griefs intolérables justifient la résistance, la résistance doit s'exercer contre un gouvernement et non pas contre une patrie; il a un exemple récent à évoquer: «Ces vérités essentielles, le pape les a rappelées aux *frontistes* flamingants; elles s'appliqueraient également au séparatisme québécois...»

Les *Mémoires* demandent: «À partir de 1922, que se passe-t-il en cet homme?» Il aura toutes les duretés pour ses disciples. Durant d'interminables années, il combattra le nationalisme: en pratique, le nationalisme canadien-français. Il se trouvera prendre consciencieusement le parti du fort contre le faible. En 1926, Pie XI l'a reçu — convoqué serait peut-être plus juste — en audience. Le pape voit les méfaits des nationalismes européens; il les déplore et condamne tous les nationalismes. Ses propos, au dire de Lionel Groulx, auraient eu sur l'homme politique un effet d'autant plus «foudroyant» que, par ses hérédités, il se porterait aisément aux extrêmes, ce qui expliquerait ses excès de scrupule et de repentir. Le tribun, en somme, aurait perdu son équilibre mental jusqu'au début de la guerre de 1939. Je ne peux, à ce propos, m'empêcher de penser à cette réflexion de Sainte-Beuve: «Si nous serrions bien de près notre persuasion la plus chère, nous verrions que ce que nous appelons plus ou moins *folie* dans les autres, c'est tout ce qui n'est pas purement et simplement notre pensée propre et elle seule, tout ce qui n'est pas *moi*: *fou*, c'est le synonyme de *toi*.» Du reste, en ce temps-là, Bourassa, de son côté, n'accorde pas un surplus d'intelligence à ses amis de naguère. Au témoignage de M. Rumilly, il s'amuse fort du «petit abbé Groulx» qui, avec ses fidèles, règle les questions nationales «en disposant des Anglais et des Américains, dans le sous-sol du Mile End, chez mon ami le curé Perrier». D'après le même biographe, il se moque joyeusement de *L'Action française*, «où l'on prépare une constitution indépendante pour la province de Québec, tandis que le petit Père Villeneuve, d'Ottawa, monte sur la colline et s'écrie: Abbé Groulx, abbé Groulx, que faites-vous de nous?» Mais le grand homme n'est pas toujours d'humeur à rire. Ses coups portent lorsqu'il oppose nationalisme et religion.

Reprenons la question de l'écrivain: «Que se passe-t-il en cet homme?» L'audience de 1926 l'a sûrement ému. Elle ne lui a pas renversé la cervelle. Groulx lui-même reconnaît que «les premiers symptômes» du mal se manifestent dès 1922. Ce n'est pas une coïncidence. Bourassa voit le nationalisme canadien-français devenir québécois

— tenir le Québec pour une nation. Un nationaliste canadien ne peut pas admettre cette évolution. Si l'homme politique se durcit, il ne change pas. Contre *Notre avenir politique* et celui qui en est le véritable auteur, il reprend la position qu'il a adoptée en 1904 contre Tardivel et sa thèse. Il « subordonne » le Québec au Canada. Sa « patrie, à lui », c'est le Canada. Dès 1923, il qualifie d'« immodéré » le nationalisme québécois. Il est ferme comme un roc.

En 1935, *L'Action nationale* demande à Lionel Groulx de dénoncer « l'ancien maître ». L'écrivain s'y emploie dans un éditorial non signé. Pages « dures, très dures », juge l'auteur des *Mémoires*, en les relisant vingt ans après. Il les reproduit. Ce qui retient l'attention, c'est moins la sévérité du ton que les procédés du polémiste. Celui-ci insiste sur « l'étrange évolution » de la vieille vedette et lui reproche d'avoir tourné le dos à son passé, à ses idées. Il s'applique à le mettre en contradiction avec lui-même. Nous le savons, pourtant, et il serait invraisemblable que l'écrivain l'eût ignoré : en 1935 comme en 1923, et en 1923 comme en 1904, l'homme politique n'admet pas que le Québec rêve d'indépendance. Sur ce point, si quelqu'un évolue, ce n'est pas Bourassa. Dans cet article, on ne peut se dispenser de signaler deux passages. D'abord, celui-ci : « M. Bourassa fait à notre ancienne Action française un grief entre quelques autres. Il lui a reproché d'avoir prôné le 'séparatisme'. Laissons de côté, pour le moment, la part d'inexactitude et de fantaisie que comporte le reproche énoncé en cette forme absolue. » Subtilité. Et la conclusion : elle renferme une citation tirée de la conférence prononcée par « l'abbé Groulx » devant le Jeune Barreau de Québec le 9 février 1935 ; après quoi, on lit ces dernières lignes : « Cette conférence de l'abbé Groulx a été mise en brochure. La brochure affiche, à sa première page, l'*imprimatur* de l'archevêché de Québec. Cette orthodoxie vaut bien celle du nouveau 'Père de l'Église'. » Le chanoine se souviendra-t-il de ce trait lorsqu'il pourra lire, reproduit partout, le communiqué publié par le cardinal Villeneuve dans la *Semaine religieuse* de Québec, en 1944 ? Le même sarcasme s'y retrouve : le Cardinal croit utile de « déclarer » que Bourassa « n'est ni pontife ni docteur autorisé dans l'Église » et que l'histoire « ne confirmera point sa prétention de théologien laïc ».

C'est en 1955 que l'écrivain rédige les pages que ses *Mémoires* consacrent à l'enquête de *L'Action française*. Trente-trois ans se sont écoulés, exactement le temps d'une génération. Lui-même a maintenant soixante-dix-sept ans. Sa mémoire est excellente, plus précise encore, ses interlocuteurs le remarquent, lorsqu'elle évoque des événements anciens que lorsqu'elle rapporte des faits récents. Toutefois, au sujet des origines de *Notre avenir politique*, il ne se souvient plus très bien de ce qui s'est passé dans son esprit. Il se rappelle, bien entendu, avoir été celui qui conçut le projet de la célèbre enquête. Mais au bout de quel cheminement ? Il relit ses textes de l'époque : « Un doute m'assaille : ai-je bien découvert, en 1922, tout le fond de ma pensée ? » Devant toutes les précautions dont il a entouré l'expression de cette pensée, il s'interroge : « Avais-je tant peur de prôner l'indépendance du Québec ? N'ai-je pas plutôt saisi l'occasion qui m'était offerte d'exprimer, avec les réticences qui s'imposaient, ma véritable aspiration envers l'avenir politique et national de notre petit peuple ? » Il ne sait. « À trente ans de distance, fait-il valoir, je me souviens mal, sans doute, de mon exacte façon de penser en 1922, sur le grave sujet. » Il assure que sa foi en l'avenir de la Confédération a toujours été « faible ». Fragile jusqu'à l'incroyance? Il ne l'affirme pas. Il représente que penser à l'indépendance, « même pour le grand Canada », n'allait pas sans témérité; à plus forte raison, évoquer, « même à longue échéance », l'émancipation du peuple québécois, c'était braver l'opinion. « Et pourtant, enchaîne-t-il, il me faut bien en convenir, au fond de moi-même, et depuis assez longtemps, je nourrissais l'affreuse aspiration. »

Ce n'est pas que son souvenir se précise, mais sa *Croisade d'adolescents* lui fournit un texte sur quoi fonder sa certitude. Les courts extraits qu'en donnent les *Mémoires* contiennent en germe, et même plus qu'en germe, les thèmes de 1922. Le livre, rappelle l'auteur, est de 1912, mais il exprime des idées qui remontent aux années 1901-1906. Si, avait-il alors professé, « dans ce vaste chaos de peuples », il se trouve un groupe humain qui possède un territoire, des resssources matérielles et des institutions; si cette collectivité est homogène « par le sang, la foi, les moeurs » au point de s'en trouver « en opposition absolue avec les races qui l'entourent »; si, enfin, elle a pour elle les forces du catholicisme, du sol et des traditions, alors, « n'est-il pas dans l'ordre des choses nécessaires que ce groupe ethnique surnage à la débâcle générale, intègre, indéfectible, et plus que tous les autres, n'a-t-il pas le droit d'entretenir, dans son âme, des rêves de liberté et d'indépendance »? Il l'avait affirmé à ses jeunes gens: « L'aspiration à l'indépendance est un instinct de race. » Et du même souffle, dans la phrase suivante: « Le système fédératif que nous nous sommes donné, qu'est-il autre chose lui-même qu'une reconnaissance de cette aspiration? Il la suppose et la respecte, puisqu'il la protège. » Ces textes autorisent l'auteur des *Mémoires* à conclure en 1955: « Ainsi je ne puis me renier. Dès les années 1900, l'indépendance du Québec me paraît inscrite dans sa géographie et dans son histoire. »

Est-ce si clair? Au contraire, l'ébauche de 1912 se révèle aussi complexe et aussi déroutante que le sera le dessin détaillé de 1922, lequel sera constamment retouché au cours des quarante-cinq années qui suivront. Tout y est déjà: non seulement le projet même de l'indépendance, mais aussi la conjoncture de « débâcle générale » utile ou nécessaire à sa réalisation, outre la conception selon laquelle le système fédéral, dont il s'agit précisément de sortir, servirait à protéger l'aspiration à la liberté collective. À la vérité, le texte de 1912 ne nous avance pas.

Les témoignages qu'il est possible de recueillir par la suite dans les écrits de Lionel Groulx laissent le lecteur dans sa perplexité. En 1929, l'historien réplique au *Canadian Forum*. Le périodique de Toronto s'est appuyé sur *Notre avenir politique* pour lui reprocher son peu de foi en l'avenir de la Confédération. Il aurait pourtant suffi, rétorque l'abbé, d'entendre le français pour saisir que *L'Action française* attribuait la fragilité de la fédération canadienne beaucoup moins à des causes « d'ordre politique ou national que d'ordre économique ou géographique ». Encore la théorie de la débâcle. Il ajoute cependant que sa « foi au long avenir de l'œuvre de 1867 » ne pèse, en effet, pas très lourd. Pourquoi? Parce qu'il a trop vu la majorité canadienne tourner contre les francophones « la lettre et l'esprit de la Constitution, ne leur réservant, dans leur pays à eux, les plus vieux habitants du Canada, que le traitement de citoyens de seconde zone ». Donc, le régime de la fédération lui paraît condamné à une fin plus ou moins prochaine en raison de l'usage que la majorité en a fait contre la minorité. Retour à une idée exprimée en 1917.

En 1931, il a une conversation, au Vatican, avec le secrétaire de la Consistoriale, Leccesi. Les *Mémoires* la résument. Au prélat, l'écrivain esquisse l'histoire des Canadiens français : la création de la Nouvelle-France, la Conquête ; l'« émancipation progressive » d'un peuple décidé à sauver sa foi et sa culture ; les progrès réalisés en 1774 et en 1791 ; « un seul recul en 1840 ; puis reprise de la marche ascendante ; enfin, victoire finale en 1867 ». Ces propos destinés à être souvent répétés sous des formes diverses prennent peut-être leur expression la plus frappante dans les *Paroles à des étudiants* (1941), qui valent d'être citées :

> Au-dessus de tout, j'aperçois notre réussite politique, accomplie au premier chef pour des fins nationales. Cette réussite, je la rappelais tout récemment au Père Delos. Je lui dessinais notre superbe et persévérant effort de libération de 1760 à 1867, cette ligne ascensionnelle, sans brisure, qui a fixé la ligne de notre histoire pendant un siècle, et je lui posais la question : « Père, dans toute l'histoire contemporaine, connaissez-vous beaucoup de petits peuples, placés en aussi dures conditions, qui, pour la défense de leur âme, aient accepté et gagné pareille partie ? » L'éminent dominicain m'a répondu : « Le fait est unique ! » Je ne crains pas de le dire, et passez-moi la vulgarité de l'expression : tout autre peuple qui aurait le même passé que nous, en serait un peu fou.

Après une telle envolée, une question vient naturellement : ayant gagné « pareille partie », voire, ayant remporté la « victoire finale », quel avantage, pour ne pas dire quelle logique, y aurait-il à retourner au jeu ou à reprendre le combat ? Donc, « réussite politique » que le régime de 1867.

En 1931 encore, dans la conférence qu'il prononce à Paris devant les Publicistes chrétiens, l'historien se montre attentif à signaler, comme il l'a déjà fait en 1922, que ses compatriotes ne réclament pas le droit de disposer d'eux-mêmes: « Une autre méprise, ce serait de se représenter le nationalisme canadien-français comme la lutte d'une nationalité contre l'État, un mouvement nationalitaire offensif, se prévalant du faux principe de la *self-determination* pour bousculer les autres nationalités et troubler l'économie politique du Canada. » Deux ans plus tard, il pousse André Laurendeau et ses amis à fonder les Jeunes-Canada. Il prend une telle part à la création du mouvement qu'il en rédige le manifeste. Les *Mémoires* reproduisent cette pièce intéressante à plus d'un titre. Elle l'est d'abord par le style, j'allais dire par le style qu'elle emprunte: sauf en quelques passages, où l'écrivain professionnel néglige de réprimer son naturel, la phrase est simple et l'idée relativement courte, comme il sied, semble-t-il, dans l'esprit de celui qui tient la plume, à des garçons de vingt ans. Elle l'est ensuite à propos du fédéralisme canadien: « Nous vivons dans une Confédération, régime public qui a été constitué tel en 1867, précisément pour la sauvegarde de certains particularismes et de certains provincialismes. Le particularisme canadien-français a été même l'une des raisons déterminantes du fédéralisme canadien. Nous entendons que l'on ne dénature point cette pensée des Pères de la Confédération. » Puis vient tout de suite la chute: « Nous voulons que les nôtres soient équitablement représentés dans le fonctionnarisme d'État. »

Six mois après la publication du « Manifeste de la jeune génération », Laurendeau écrit à son maître. Il lui raconte avoir lu *Notre avenir politique*. Voici ce qui l'a frappé: « Au moment où vous étudiiez cette question, vous vous contentiez de voir venir les événements. C'était juste, alors. Votre position était inattaquable. » Mais le jeune homme croit l'heure venue de faire davantage; il le dit délicatement: « Ne vaudrait-il pas mieux, maintenant, aider les événements ? » Non pas que la prudence lui paraisse superflue: le futur chef politique montre le bout de l'oreille lorsqu'il révèle que lui-même et ses amis méditent « d'étudier les problèmes nationaux à ce point de vue précis, et d'aller de l'avant sans divulguer tout de suite [leurs] ambitions ». S'ils tiennent à garder leur secret, ils n'en prennent pas les moyens. Ils parlent beaucoup. Au cours d'une réunion publique, en 1935, un d'entre eux déclare: « Québec doit devenir au plus tôt un État libre dans lequel la nation canadienne-française sera absolument maîtresse de ses destinées. » L'époque, nous le savons, est celle où tout mouvement non seulement a un leader, ce qui est normal, mais s'incarne dans une personnalité, ce qui est caractéristique de ces années-là. L'orateur enchaîne naturellement: « Une telle résurrection spirituelle ne s'accomplira que par le ralliement de tous sous une même bannière: celle d'un même chef. » Qui ? Lionel Groulx.

Ce dernier laisse dire. Mais que dit-il lui-même ? Les propos qu'il tient au Jeune Barreau de Québec en 1935 sont trop bien accueillis pour n'avoir pas quelque allure conservatrice; ils développent, nous le savons, cette idée que 1867 constitue « une autre et éclatante confirmation du droit de vivre ». C'est ce qu'il répète en 1936, dans une de ses conférences les plus retentissantes: « L'Économique et le national. » Il raisonne alors ainsi: « Il est entendu, je pense, que nous vivons en Confédération. Mais, de cette Confédération, qui est responsable ? Je l'ai déjà dit: nous-mêmes, Canadiens français, seuls ou presque seuls... Nous avons demandé les institutions fédératives, ai-je dit; nous l'avons fait avant tout pour des motifs d'ordre national; ce vœu et ces motifs furent agréés par tous; il s'ensuit qu'en 1867, il fut agréé unanimement que cette province constituerait, dans le cadre de la Confédération, un État national, un État français. » (Ne nous demandons pas ce qui cloche dans un raisonnement qui identifie deux contraires: une « province » et un « État national ». Revenons au texte.) Tout devrait donc aller fort bien. Il se trouve que tout va très mal. Pourquoi? Telle n'est pas la question que l'orateur se pose. Il s'enquiert plutôt, selon son habitude, des responsables. Qui sont-ils? « Je réponds, déclare le conférencier: nous tous tant que nous sommes. » Mais, poursuit-il, « s'il fallait mettre des degrés, mes reproches s'adresseraient en premier lieu, sans doute, à ceux qui, plus que tous les autres, auraient dû nous fournir l'orientation, l'impulsion initiale, je veux dire les hommes politiques qui ont fait la Confédération, qui l'ont faite sans mandat et qui, l'ayant faite, se sont donné l'air de ne plus se souvenir de ce qu'ils avaient fait». Ce qui revient à dire, encore une fois, que les institutions sont bonnes, mais les hommes fautifs. Dans l'infidélité des politiciens, l'écrivain est porté à voir la cause principale de la faillite de l'expérience fédérale; et quand il vitupère les politiciens, son discours veut atteindre ceux du Canada français, à telle enseigne que les *Mémoires* avouent: « En avais-je véritablement et surtout contre nos compatriotes anglophones? J'en avais surtout, ce me semble, contre les miens. Leur bonasserie devant l'Anglo-Saxon m'humiliait... »

En 1936, l'écrivain prend une part prédominante aux manifestations qui se déroulent à Arthabaska, en hommage à la mémoire d'Armand La Vergne, mort l'année précédente. Les *Mémoires* résument le discours qu'il prononce à cette occasion. Le « chevalier de la fierté française» était «fédéraliste», s'écrie l'orateur, et il « se prononcerait aujourd'hui, comme nous tous, pour l'État français compatible avec la Confédération». La même année, il a pris la parole au congrès des Jeunesses patriotes. Ce groupement est séparatiste. Son journal s'intitule *L'Indépendance*. L'abbé peut tenir des propos plus libres que devant le Jeune Barreau ou la Jeune Chambre de commerce. Ses auditeurs lui sont gagnés d'avance. Aussi n'est-ce pas à leur égard, mais à l'endroit des minorités francophones du Canada qu'il a des paroles rassurantes; il reprend son thème de 1922: «...Le séparatisme ne serait pas l'abandon et il n'entend pas se présenter ainsi. Il se donne tout au plus comme la résignation à l'inévitable. Quand on ne peut tout sauver, on sauve ce que l'on peut.» Se séparer, ajoute-t-il, ce n'est pas nécessairement s'isoler: «Sortis de la Confédération, nous ne pourrions lui rester étrangers. Nos plus hauts intérêts nous commanderaient de conclure avec elle, au moins des ententes commerciales, puis de continuer à vivre parmi les peuples de la planète.» Il se défend de vouloir troubler l'ordre politique: «Quand nous parlons, en effet, d'État français, nous n'exigeons par là nul bouleversement constitutionnel.» Et d'engager la jeunesse qui l'écoute à «travailler à la création d'un État français dans le Québec, dans la Confédération si possible, en dehors de la Confédération si impossible». D'ailleurs, dans ce même discours, il revient sur son idée qu'il «fut entendu, proclamé que la Confédération nous remettait chez nous, maîtres de notre province et de sa politique, en état de gouverner nous-mêmes nos destinées». Il commentera plus tard: «Paroles de simple bon sens. Formule à laquelle je me serai accroché.»

Formule, en effet. Depuis le milieu des années trente, l'expression d'«État français» surgit dans les propos de l'écrivain avec une fréquence trop grande pour être involontaire. Non pas qu'il en fasse alors la découverte. Ce n'est pas lui, du reste, qui l'a inventée, puisque nous l'avons trouvée, remontant au début du siècle, sous la plume de Tardivel. Dans une entrevue qu'il accorde, en 1962, à André Laurendeau, il s'étonne — c'est le mot qu'il emploie — de dénicher dans un de ses textes de 1920, qu'il avait tout à fait oublié, cette vérité historique que le Québec est « un État français ». L'expression a la commodité de n'être pas trop précise ; et puis elle a de l'allure : à cette époque, le mot « français » a quelque chose de cocardier, surtout dans les milieux nationalistes ; qualifier, par exemple, un esprit de « français », ce n'était pas le classer, c'était lui reconnaître de la classe. En 1922, il a, c'était naturel, évoqué avec ses collaborateurs de *L'Action française* « la constitution d'un État français » dans l'est du Canada. Au même moment, il a aussi écrit : « Nous ne disons pas qu'un État français indépendant est possible dans l'état actuel de l'Amérique du Nord », non sans ajouter que la carte politique du continent n'est pas immuable et que, « d'ici un siècle », les « bouleversements » à venir sont de nature à ouvrir de vastes possibilités. Il n'en reste pas moins que, dans ses textes de 1922, l'écrivain conçoit l'État français en dehors du cadre fédéral, puisque sa mise en place postule la dislocation de la fédération canadienne.

L'auteur des *Mémoires*, toutefois, fait un autre raisonnement que celui-là. « Je viens de relire, écrit-il, les deux articles que j'ai donnés à l'enquête [de *L'Action française*]. Tout ce qui a été pensé, écrit, ne l'a été que dans l'appréhension de ce qui nous paraissait une fatale issue. L'écroulement de la Confédération, nul de nous ne songeait à le provoquer ; en nos esprits pas l'ombre d'un dessein révolutionnaire. » On n'a pas de mal à le croire. L'équipe de l'abbé Groulx espérait, certes, que cette éventualité se produirait; elle se contentait de la prévoir et de la souhaiter; elle n'aurait pas, pour reprendre l'euphémisme d'André Laurendeau, aidé les événements. Il importe cependant d'observer que là n'est pas du tout la question. La question est de savoir si l'expression d'« État français » est susceptible de la même interprétation dans son contexte de 1922 et dans son contexte de la fin de l'entre-deux-guerres. Tout indique que l'État français entrevu en 1922 est un État indépendant.

Les contemporains ne semblent pas s'y être trompés. Dans ses commentaires, l'auteur des *Mémoires* fait allusion à l'hostilité que *Notre avenir politique* ne tarde pas à provoquer. L'enquête, dit-il, a « scandalisé les bonnes âmes ». Il précise: « On y a vu les prodromes d'un mouvement révolutionnaire, en voie de saper les bases de la Confédération. L'on n'est pas encore habitué à pareilles audaces de pensée. Oser dénoncer la Confédération comme un piège, une faillite! » Au moment où il tisonne ses souvenirs, il affirme que ses censeurs ont grossièrement exagéré la portée de ce qu'il entendait par « État français », expression qui, dans son esprit, aurait signifié simplement « un Québec autonome, gouverné enfin comme une province française, c'est-à-dire conformément à son être ethnique et historique ». Mais, proteste-t-il, ils jugèrent « plus effectif » de taxer de séparatisme les hommes de *L'Action française*, « oubliant à quelle enseigne, pour leur imprévoyance et leur servilité, logeaient, en ce temps-là, les fauteurs inconscients mais authentiques de séparatisme ». Si cette interprétation était contestable en 1922, il a bien raison d'attester le fait qu'elle est absolument conforme à ses déclarations des années trente-cinq.

Car il s'agit d'un fait. Son discours du 29 juin 1937, au Colisée de Québec, est plus percutant par le ton que par le fond. Le même orateur qui s'écrie: «Notre État français, nous l'aurons», proclame aussi: «La Confédération, nous en sommes, pourvu qu'elle reste une Confédération.» Lorsqu'il évoque dans ses *Mémoires* cette inoubliable soirée, il tient toujours 1867 pour une «victoire», comme il le faisait à l'époque. «À cette étape de notre vie, que nous a-t-il manqué?», demandait-il dans son fameux discours. Des chefs, répondait-il: «Au lieu de borgnes et de sous-ordres, que n'avons-nous alors mérité de la Providence des guides, des chefs, d'esprit assez solide et réaliste pour saisir la portée de la récente évolution politique...?» Une fraction de l'opinion, justement celle que *La Nation*, alors carrément séparatiste, représente bruyamment, ne se tient pas d'enthousiasme. Une autre partie se hérisse. Comme il est normal, l'exaltation des admirateurs encourage la sévérité des adversaires. Lionel Groulx s'en prend à «l'hypocrisie» de ces derniers. «Ils savaient fort bien, écrit-il, outré, ce que j'avais toujours entendu par 'État français': un Québec aussi souverain que possible, dans la ligne de ses institutions constitutionnelles, et gouverné pour les fins qu'il avait revendiquées en 1867.» Et de dénoncer «les politiciens au pouvoir» qui se sont plu, par intérêt, à lui «prêter des intentions séparatistes». En revanche, les *Mémoires* rapportent avec satisfaction le jugement d'un observateur clairvoyant et conservateur, Louis Francœur, selon qui «c'est bien à tort qu'on a voulu faire dire à l'abbé Groulx ce qu'il s'est bien gardé de dire». Ils citent aussi, approbateurs, le commentaire que M. Auguste Viatte livre à *Sept*, à la suite de la conférence du Colisée: «Lorsque l'abbé Groulx parle d'État français, le contexte n'implique rien de plus que le renforcement de l'esprit français dans la province de Québec telle qu'elle existe.»

À n'en pas douter, l'écrivain a raison de s'indigner de ce que des esprits, souvent malveillants, lui « prêtent » peu avant la guerre des intentions qu'il n'a pas — qu'il n'a plus — à ce moment. Il est beaucoup moins sûr qu'il ait raison, entièrement raison, quand il assimile lui-même les idées qu'il a relancées en 1922 à celles que son éloquence magnifie en 1937. En 1922, sa position est nette ; il prévoit un État indépendant : français, il le dit en passant parce que cela va de soi, mais indépendant. Claire aussi, malgré l'opulence des phrases, l'attitude qu'il a adoptée en 1937, mais différente : il en est venu à souhaiter un « État français » dont l'indépendance ne lui paraît plus essentielle. Il se contenterait maintenant d'un bon État provincial dont, à la limite, l'indépendance deviendra nécessaire s'il s'avère que ses partenaires lui interdisent de jouer son rôle. Après avoir dit : « La Confédération, nous en sommes... », voyez ce qu'il ajoute : « Nous acceptons de collaborer au bien commun de ce grand pays ; mais nous prétendons que notre collaboration suppose celle des autres provinces et que nous ne sommes tenus de collaborer que si cette collaboration doit nous profiter autant qu'aux autres. » (Et l'État fédéral, siège du haut pouvoir dans cet ensemble canadien, qui est autre chose et plus que la somme des provinces, n'est-ce pas lui, en réalité, cet État national d'origine et de style britanniques, qui est le véritable partenaire de « l'État français » ?) Après avoir fait observer combien il serait imprudent d'imposer au Québec de demain un choix « entre sa vie, son avenir français, et un régime politique », il déclare nettement : « Nous refusons de nous sacrifier, nous seuls, au maintien ou à l'affermissement de la Confédération. » Puis il s'adresse aux « Anglophones ». Il les approuve d'être « Anglais jusqu'aux moelles », et c'est pour enchaîner : « Nous voulons, nous aussi, nous développer dans le sens de nos innéités culturelles, être Français jusqu'aux moelles ; nous le voulons, ni pour des fins uniquement égoïstes ni par orgueil racique, mais pour apporter, comme vous, à notre pays, la modeste contribution de nos forces spirituelles... » *Notre avenir politique*, il faut en convenir, n'entrevoyait pas cet avenir-là.

Ici, il importe d'être explicite. Lionel Groulx avait le droit d'évoluer. Ne déclare-t-il pas lui-même avoir évité de s'enfermer dans son « petit magasin d'idées » ? Les siennes « marchent ». Solidement ancrées à un certain nombre de principes, il les dit « sensibles pourtant au vent qui passe ». Cela n'est pas contestable. Ce qui peut l'être, c'est de se demander, comme font les *Mémoires*, « par quelle sophistique » on a osé « travestir les intentions de l'enquête [de 1922] et en représenter les collaborateurs comme des séparatistes authentiques, des esprits envoûtés par leur mirage d'un État français sur les bords du Saint-Laurent ». D'autant que cette protestation suit immédiatement le rappel d'un texte de l'époque de *L'Action française*, dans lequel l'écrivain ne mâche pas les mots : « Quelques autres voudraient-ils nous reprocher de ne pas travailler au maintien de la Confédération canadienne, voire de l'Empire anglo-saxon ?... Là vraiment, répliquerions-nous, serait la tâche chimérique, la folie démesurée. Voilà cinquante ans que nous travaillons à construire, pendant que les autres détruisent... Nous n'avons plus ni temps ni forces pour ce rôle de dupes. » À la réfutation de la « sophistique » des contradicteurs, combien ne préfère-t-on pas cette explication à vrai dire sommaire, mais sans détour que donnent encore les *Mémoires* : « digression », que l'enquête de 1922. L'auteur résume : « Nous avions cru à l'hypothèse d'une rupture de la Confédération. La rupture n'ayant pas eu lieu, notre hypothèse ne s'étant pas accomplie, je suis revenu à l'idée de l'État français dont je ne démordrai plus. » Il reste que, ne serait-ce que le temps d'une digression, à moins que ce ne fût après cette aventure, l'expression d'« État français » a été l'objet d'un glissement de sens.

« Je suis revenu... », rapporte l'auteur. À quoi? À l'esprit qui a animé le « réveil » du Canada français. Ce mouvement, estiment les *Mémoires*, « contrairement à tous les réveils des nationalités », avait procédé « d'un conflit politique: participation ou non du Canada aux guerres de l'Empire britannique ». Or, poursuit le même texte, ce sursaut « n'était pas le fruit d'une fermentation d'intellectuels. Un homme l'avait suscité: Henri Bourassa. » C'est bien là, la suite le démontre, que Lionel Groulx revient. Mais dans quelle conjoncture! En 1935, il écrit un article violent contre le grand homme, qu'il accuse d'avoir fait volte-face. La même année, il tient au Jeune Barreau de Québec un discours dont l'allure, assez traditionaliste, lui vaut le meilleur accueil. Il ne condamne plus la Confédération en elle-même. En 1938, pour l'anniversaire du Statut de Westminster, il prononce une allocution dans laquelle il appelle de ses voeux le jour où flotterait, « au-dessus de nos têtes, un drapeau, lui aussi à nous, rien qu'à nous » : le drapeau du Canada. Comme à l'époque où montait l'étoile de Bourassa, tous, sans se résigner à y croire, sentent venir la guerre. Par son anti-impérialisme autant que par la force des revendications typiquement canadiennes-françaises qu'il continue à exprimer, Groulx va prendre, seul, la place laissée vide par son ancienne idole. Courtisé par les séparatistes, qu'il a pu, avoue-t-il, décevoir « quelque peu et peut-être beaucoup », mais qu'il ne combat point, respecté des nationalistes d'obédience fédéraliste, dont il ne contrarie plus la tradition, il est, sans conteste, le porte-parole le plus prestigieux de la « génération des vivants ».

L'anti-impérialisme trouve une expression passionnée dans son discours du 23 juin 1939. Cette pièce a pour titre « Notre mystique nationale ». Les exigences des Canadiens français, assure l'orateur, peuvent se ramener à trois : « reconnaissance du fait français au Canada, maintien de l'autonomie provinciale et primauté de l'idée canadienne sur l'idée impérialiste ». Il proclame le fait français trop important « pour qu'on lui interdise de dépasser les frontières d'une province ». L'autonomie provinciale, Duplessis donnera bientôt à cette formule un tel retentissement qu'il passera pour l'avoir inventée. Quant à l'impérialisme, « sentiment d'une minorité », Lionel Groulx le foudroie « au nom du premier des biens pour un pays : la paix intérieure, l'union nationale ». Son style, à l'ordinaire, est roide. Des « propos désobligeants » pour les « bonne-ententistes » poivrent généreusement son exposé. Même à l'époque des *Mémoires*, l'auteur reste surpris, agréablement, du concert d'éloges que ses paroles suscitent dans une presse sans doute, elle aussi, sous le coup d'une surprise agréable ; cela, non seulement dans les journaux du Québec, tant anglophones que francophones, mais encore dans des quotidiens ontariens et jusque dans une feuille de l'Ouest. Ses allusions à une déclaration récente de la reine d'Angleterre, à Ottawa, y étaient certes, comme il le croit, pour quelque chose. Mais il y avait davantage. Il y avait ceci que les bons observateurs savent distinguer entre les mots hardis et les idées modérées. L'un d'eux, avec raison, ne voit rien d'incompatible entre les objectifs nationaux des Canadiens anglais et la formulation que Lionel Groulx donne à ceux des Canadiens français : en fin de compte, ces derniers réclameraient « la reconnaissance de la culture française, de leurs traditions... » Sur ces principes, entre Canadiens, l'accord apparaît d'autant moins malaisé que la suprématie politique de la majorité n'a rien à en redouter; un débat, en revanche, entre Québécois et Canadiens, voilà qui devient sérieux. L'impérialisme? Vieux costume que Churchill n'a pas encore remis à la mode. On dit maintenant: « Le Canada d'abord! » En anglais aussi. Très sincèrement.

En 1939 encore, il envoie un message au congrès des Jeunesses canadiennes. Il y évoque l'histoire universelle qui, écrit-il, « offre peu d'exemples de pays qui aient pu s'élever au vrai sentiment national avant de jouir du prestige de l'indépendance ». Porte-t-il ce diagnostic sur le Québec? Non, mais bien sur le Canada, « peuple-serf » dans l'Empire britannique. Il reprend une idée qu'il a exprimée trois ans plus tôt dans un autre congrès, celui des Jeunesses patriotes. Ce qui a manqué au Canada pour cimenter son union, il le répète, c'est l'épreuve commune, « la crise nationale qui nous aurait jetés les uns vers les autres », alors que les Canadiens n'ont connu que des « crises diviseuses » qui les ont « jetés les uns contre les autres ». Ornière profonde. Il ne s'en est pas encore dégagé lorsque, dans ses *Mémoires*, il commente et veut justifier ses paroles de 1939. Il raisonne maintenant ainsi: pour s'être porté, durant la seconde guerre mondiale, « au secours d'un empire moribond », le gouvernement canadien a obéré ses finances au point qu'il doit maintenant « pressurer indûment les provinces », d'où il résulte un tel malaise qu'on est fondé à se demander « si la Confédération y pourra survivre et si la tentation de l'annexionnisme ne va pas ressaisir la bourgeoisie anglo-canadienne ».

Comme à l'époque de la ferveur régionaliste, il évoque en 1940 la « petite patrie ». Dans l'hebdomadaire des étudiants de l'Université de Montréal, *Le Quartier latin*, il écrit qu'« être de sa petite patrie, de sa province, de sa nationalité, de sa culture », est un sentiment conciliable avec le catholicisme. Sans aucun doute, mais une petite patrie n'en suppose-t-elle pas une grande ? Deux patries ne commandent-elles pas deux patriotismes ? Lorsque les *Mémoires* commentent l'enquête de 1922, leur auteur reproche précisément à « la Confédération de 1867 » d'avoir aggravé l'anémie du sentiment national au cœur des Canadiens français « par l'introduction, dans l'esprit du peuple, d'un double patriotisme : le patriotisme canadien et le patriotisme canadien-français ». Vers 1942, dans une conférence au Séminaire de Sainte-Thérèse, il déclare le Canada trop léger en richesses spirituelles pour se priver « du plus pur de ses foyers de civilisation : je veux dire le seul État catholique et français qui existera sans doute jamais en Amérique du Nord ».

« Mesdames et Messieurs, je ne suis pas séparatiste », professe Lionel Groulx dans sa fameuse conférence de 1943 en réponse à l'abbé Maheux. L'instant d'après, il proclame que ses compatriotes n'auront jamais d'autre patrie que le Canada, « d'autre chant national qu'un hymne canadien, d'autre drapeau que le drapeau du Canada ». (Le don de prophétie est dangereux. En janvier 1948, un arrêté pris en conseil des ministres crée le drapeau québécois. Et l'écrivain s'en réjouira.) La Confédération, reprend-il, aurait pu « être accueillie en 1867 comme une grande victoire française ». Il se dit persuadé « qu'une race intelligente et énergique et qui n'endurerait pas d'être trahie par ses politiciens pourrait, en dépit de ce statut politique, vaquer, en toute liberté, au développement de sa vie totale, même économique ».

Il se produit ici un phénomène curieux. Ailleurs dans ses *Mémoires*, et plus d'une fois, l'historien reconnaît que le régime de 1867 a « tourné contre nous ». À cette infortune, il trouve deux explications. Il insiste, en premier lieu, sur la bassesse des hommes. Il le déclare, les représentants du Québec à Ottawa — « ministres, sénateurs, députés, fonctionnaires » — lui ont toujours paru, « à peu d'exceptions près, faire œuvre de trahison ». Il estime que la désignation de « collaborateurs » leur convient tout à fait, « avec ce que ce mot a d'infamant » depuis qu'il a servi à montrer du doigt en France, durant la dernière guerre, les misérables qui ont aidé l'occupant. Lionel Groulx fait ce commentaire à propos de la « petite guerre » qu'il a menée autrefois, avec son équipe de *L'Action française*, contre les violations répétées de la dignité des francophones, notamment dans les structures fédérales. Trahison à Ottawa, « la politique de parti » a éliminé « toute politique nationale » à Québec, où, après 1867, les chefs, sauf Mercier, n'ont jamais rien « compris à l'Acte confédératif ni aux conséquences qu'ils eussent pu en tirer ». En un mot, « au Canada français, la politique est l'opium du peuple ». C'est ce qu'il redit en 1943.

Un fait aussi constant devrait pourtant avoir des causes qui dépassent les personnes, une explication liée à une situation collective plutôt qu'au caractère uniformément vil d'une catégorie d'individus. Cette réflexion lui a un jour traversé l'esprit. Quand? Lorsqu'il commente l'enquête de 1922. Si, à cette occasion, il juge encore que 1867 nous a desservis « en partie par notre faute, par notre manque de sens politique et national », il s'empresse d'ajouter: « mais aussi par le poids d'influences insurmontables, influences du nombre, du milieu, de poussées extérieures, déterminisme de la pesanteur qui ne peut empêcher le plateau d'une balance de pencher d'un côté plutôt que de l'autre ». Vue d'historien. Il est remarquable qu'il l'exprime au moment où, examinant l'hypothèse de l'indépendance, il sort des sentiers battus, cesse de chanter les éternelles rengaines « nationalistes » et se dégage un instant de l'envoûtement des chefs. Phénomène curieux, disais-je il y a un instant. Il l'est d'autant plus qu'il intervient, comment dire? au second degré. Le Groulx de 1955 ou de 1965 qui raconte le Groulx de 1922 ou de 1943 rentre dans la peau du personnage que ses « spicilèges » font revivre sous ses yeux, ranime ses querelles et ses conceptions successives, se photographie tout en ayant l'air de s'interpréter; écrivant sur ce qu'il a écrit, il fait, en somme, une glose taillée à la mesure exacte et dans l'esprit même du texte qu'il relit et parfois redécouvre. Ses mémoires sont des échos.

La réponse à l'abbé Maheux est du 29 novembre 1943. À cette date, le conférencier vient de se réconcilier publiquement avec Bourassa. Au début d'octobre, on annonce triomphalement au chanoine que l'ancien leader nationaliste inaugurera, le 13 du même mois, une série de dix conférences et qu'il serait « enchanté » que l'écrivain fît, après la première, les remerciements d'usage. Celui-ci, malgré une vive surprise et un peu d'appréhension, ne peut qu'accepter. Il s'émeut de la bienveillance avec laquelle le grand homme lui serre de nouveau la main — serait-ce la première fois depuis vingt ans? — avant d'aller faire face à son public. En prenant la parole, l'indestructible orateur réduit aux dimensions de « certaines divergences d'opinion » le différend qui, ces dernières années, l'a tenu éloigné de l'abbé Groulx; quand, veut-il bien expliquer, « des hommes de bonne foi sont d'accord sur les principes fondamentaux de la vie individuelle et de la vie sociale », ils peuvent fort bien n'être pas du même avis « sur des questions de détail ». Les remerciements de l'historien sont élogieux, mais non sans subtilité: « Votre œuvre politique, dit-il au conférencier, se dégage, dans le premier quart de notre siècle, comme un bloc à part, solide, imposant.» *Dans le premier quart de notre siècle*: tous auront compris qu'ensuite s'ouvre une parenthèse. Le rapprochement se fait au son d'une musique connue: «Vous nous aurez appris, poursuit le chanoine, qu'au-dessus des partis il y a le pays, la patrie... et que la patrie des Canadiens pourrait bien être le Canada et rien que le Canada.» Pour l'auteur des *Mémoires*, le «nuage» s'est dissipé, le vieil homme a recouvré ses esprits: la guerre et la remontée de l'impérialisme se seront trouvées être le «coup de foudre qui, des yeux de l'ancien chef nationaliste, fit subitement tomber les écailles». Pourtant, sur «notre avenir politique», les vues de Bourassa n'ont en rien changé. Sans doute l'aîné ne pourfend-il plus les nationalistes; de son côté, l'historien assagi n'évoque plus, en 1944, la sécession que comme une mesure extrême, «la dernière ressource», dira-t-il. L'un et l'autre se retrouvent sur le terrain un peu vague, mais solide, du juste milieu.

En somme, après un laborieux détour, Lionel Groulx est revenu, au bout d'une trentaine d'années fébriles, à peu près aux sentiments que lui inspirait «ce cinquantenaire» en 1917. Le 23 septembre 1945, il reproche à ceux qui ont engagé le Canada dans le conflit qui vient de prendre fin d'avoir frustré le pays «de son avenir et de sa liberté» en lui demandant «de se battre jusqu'à l'épuisement pour la liberté des autres». Ses paroles irritent les catholiques de langue anglaise. Ce n'est cependant pas cette autre minorité qui fait la politique canadienne. Lorsque paraît, en 1949, *L'Indépendance du Canada*, même Omer Héroux fait remarquer que ce thème ne scandalise plus grand monde. C'est que l'indépendance politique du Dominion est un fait acquis. Toujours sur la brèche, trop absorbé par la lutte quotidienne pour prendre le recul nécessaire, l'infatigable combattant n'a pas vu le nationalisme anglo-canadien se dégager de l'impérialisme de naguère comme l'épervier sort de l'œuf. À l'exemple de Bourassa, il aura pris part à un long combat couronné par une victoire, mais victoire remportée par des moyens différents de ceux qu'il préconisait, dans une optique étrangère à la sienne et avec des résultats inattendus pour lui; surtout, victoire remportée par d'autres, par les autres, sans réalignement spectaculaire ni rupture violente. Pendant que l'écrivain canadien-français la réclamait à cor et à cri s'élaborait et se fortifiait au Canada (anglais) une pensée nationale à l'édification de laquelle, dans cette société trop développée pour avoir un historien national, contribuaient de fortes équipes d'historiens: pensée cohérente, fruit de la discussion plutôt que de l'unanimité, elle comportait, comme il se doit, une tendance conservatrice, illustrée principalement par Donald G. Creighton, et une tendance libérale, exprimée surtout par Arthur R. M. Lower. Sans l'ignorer totalement, le professeur de Montréal ne connaît pas bien l'œuvre des confrères anglophones (il est juste de préciser que ceux-ci méconnaissent, en général, les travaux de Groulx, leurs revues savantes, jusque vers les années cinquante, confiant à quelque francophone de service la besogne de les démolir). L'écrivain n'a donc pas vu se déployer le nationalisme canadien, même si — dans l'implacable politique linguistique de la majorité, par exemple — les manifestations agressives de ce sentiment l'ont révolté. Ainsi, il s'étonne que l'envahissement de l'économie canadienne par les capitaux américains soit perçu comme un grave danger non « point d'abord à Québec, mais à Ottawa! ».

Dans les années soixante, un vent nouveau s'élève. En très gros, trois phénomènes frappent l'observateur de la Révolution tranquille: un défoulement collectif, la découverte de l'État, l'essor rapide de l'idée d'indépendance. Nous connaissons la sévérité avec laquelle Lionel Groulx juge le premier. Quant au deuxième, malgré les craintes qu'il a de tout temps éprouvées à l'égard de l'intervention du pouvoir (politique) dans l'instruction publique et en dépit des fortes réserves que lui inspirent aussi bien le rapport Parent que le lancement en orbite du ministère de l'Éducation, il n'en salue pas moins avec joie, en 1964, l'ambition dont témoigne alors le Québec de « posséder un État bien à [lui], expression politique de la nation canadienne-française », sans résister au plaisir d'ajouter: « L'État français, autrement dit, que j'osais revendiquer il y a quarante ans et qui me valait alors les épithètes de 'séparatiste' et de révolutionnaire ». Mais le troisième? En 1960, il donne au *Devoir* une importante entrevue recueillie par M. Jean-Marc Léger. Il y prêche ce qu'il appelle la croisade de la « seconde indépendance ». Il s'agit, selon lui, de « créer les cadres de la libération », c'est-à-dire de rassembler des capitaux, de former des techniciens, des ingénieurs et des chefs de grande entreprise. Il évoque les « jeunes peuples de l'Amérique latine et de l'Afrique qui déjà s'y préparent ». Seconde indépendance, qu'est-ce à dire? L'interprétation suivante a sans doute quelque plausibilité: les pays de l'Amérique latine connaissent le régime de l'indépendance politique et ceux de l'Afrique y accèdent; dans une mesure variable, souvent très large, ils restent soumis à la colonisation économique; le Québec possède la personnalité politique à l'intérieur de la fédération canadienne, première « indépendance » dont il n'aurait pas su se prévaloir; sa tâche serait maintenant d'entreprendre sa libération économique, voie qui mène à la « seconde indépendance ».

Lorsque Lionel Groulx exprime cette idée, la troisième vague séparatiste du siècle commence à s'enfler. Il a été à l'origine de la première, en 1922. Devant la deuxième, celle du milieu des années trente, son attitude, bien que sympathique, est restée ambiguë. La troisième a tardé à se former. Elle ne commence à rouler qu'à la fin des années cinquante avec la création de l'Alliance laurentienne, mouvement de taille relativement modeste. Le Rassemblement pour l'indépendance nationale (R.I.N.) ne semble pas promis au grand rôle qui lui reviendra, lorsqu'il se manifeste en septembre 1960. À ce moment, la Révolution tranquille donne l'impression de se grossir de toutes les forces de progrès. Pour son aile marchante, l'important est d'arracher au gouvernement central, au moyen de négociations doublées de savantes manœuvres, les ressources suffisantes pour financer l'essor économique du Québec et assurer son développement culturel par la modernisation de l'instruction publique. Si la dernière partie de ce programme cause à l'écrivain de graves inquiétudes, la première lui fait chanter victoire. En cela, il se sépare de l'indépendantisme renaissant : aux yeux des partisans du R.I.N., l'essentiel reste l'indépendance, qu'ils se défendent, toutefois, de vouloir pour elle-même ; tenant à la gauche modérée, ils préparent la séparation afin d'obtenir par là la liberté pour le Québec d'organiser son développement économique. Durant six ans, le gouvernement élu en 1960 sous le signe du changement et plébiscité en 1962 au cri de « Maîtres chez nous ! » se trouve en constante situation d'être débordé à la fois sur sa droite traditionnelle et sur sa gauche nationaliste. Aux élections de 1966, les deux partis de l'indépendance, R.I.N. et Ralliement national, recueillent 200 000 voix ; c'est autant que le Bloc vingt-deux ans auparavant. L'Union nationale s'installe aux commandes avec Daniel Johnson. Son mot d'ordre : « Égalité ou indépendance ».

Tant que Johnson restera à la tête de son groupe politique et du gouvernement, l'un et l'autre conserveront un langage et des objectifs nationaux. « Que veut le Québec? », demande-t-il, lors d'une conférence des premiers ministres, en septembre 1966. Il répond: « Comme point d'appui d'une nation, il veut être maître de ses décisions en ce qui a trait à la croissance humaine de ses citoyens (c'est-à-dire à l'éducation, à la sécurité sociale et à la santé sous toutes leurs formes), à leur affirmation économique (c'est-à-dire au pouvoir de mettre sur pied les instruments économiques et financiers qu'ils croient nécessaires), à leur épanouissement culturel (c'est-à-dire non seulement aux arts et aux lettres, mais aussi à la langue française) et au rayonnement de la communauté québécoise (c'est-à-dire aux relations avec certains pays et organismes internationaux). » C'est du Groulx, moins le style. Deux ans plus tôt, dans un de ses derniers discours, le prestigieux vieillard a indiqué le sens concret que prend dans son esprit l'expression: « Maître chez soi! » Ce serait, a-t-il précisé, « être maître de sa politique, j'entends de son gouvernement, de son parlement, de sa législation, de ses relations avec l'étranger, ne pas subir, en ce domaine, de tutelle indue »; aussi, « être maître, dans la mesure du possible, à l'heure contemporaine, de sa vie économique et sociale, exploiter pour soi, et non pour les autres, ses ressources naturelles, ... posséder les moyens de financer son administration, ses institutions d'enseignement, de bien-être social »; enfin, cela voudrait dire, « pour une nation trop longtemps colonisée, un ressourcement aux fontaines vives de sa culture ». Deux textes, une seule inspiration.

Vers le même temps, Lionel Groulx observe sans nostalgie, avec plus d'intérêt que de passion, la renaissance de l'idée d'indépendance. Il note qu'on ne parle plus de séparatisme, « et c'est tant mieux », reconnaît-il, le mot était « trop négatif » ; il accepte le vocabulaire de ses jeunes contemporains « indépendantistes ». En 1962, il écrit à M. Raymond Barbeau, qui vient de lui envoyer sa brochure, *J'ai choisi l'indépendance*. Les *Mémoires* reproduisent un extrait de la lettre: « Elle établit de nouveau mes positions. » Le vieil homme y exprime sa conviction « que dans quarante, peut-être trente ou même vingt-cinq ans, — l'histoire va si vite — l'indépendance deviendra l'inévitable solution ». Voilà qui reporte malgré lui le lecteur à quarante ans en arrière, aux paroles de Bourassa citées dans la conclusion de *Notre avenir politique* : « La Confédération a vécu, en puissance. Durera-t-elle 20 ans ou 30 ans, je l'ignore... » Comment se défendre d'évoquer le bon La Fontaine, « La Mort et le bûcheron » ? En attendant l'« inévitable » échéance, on aide le pays à « recharger ce bois ». C'est que notre préparation est « maigre », explique l'historien: le peuple est « une masse parfaitement inerte, sans la moindre conscience nationale » ; techniciens, ingénieurs et chefs d'entreprises nous font défaut, et il faudra bien « vingt ans pour les former » ; il nous manque « l'équipe de vrais politiques qui pourraient assumer les fonctions d'un État adulte » ; ceux que nous envoyons à Ottawa sont irrécupérables « parce qu'aux trois quarts d'entre eux, la politique sert en somme une pension alimentaire » ; tandis que partout où l'indépendance s'est faite, les intellectuels en ont « semé l'idée », nos beaux esprits s'attardent dans l'anticléricalisme et « ne sont pas de notre pays ». Tableau assez vrai au fond, mais poussé au noir? Ce n'est pas, pour ma part, ce que j'y trouve de gênant. Le malaise qu'il provoque tient à autre chose. À l'absence de nuances, d'abord, admissible, à la rigueur, dans une lettre, mais moins acceptable dans une communication publiée par son signataire à dessein d'établir ses positions. En second lieu, au jugement un peu trop sec, qui tombe d'un peu trop haut sur le peuple, « masse inerte ». Enfin, à ce conseil, donné quelques lignes plus bas à M. Barbeau, de se « tourner vers la jeunesse » parce que c'est à elle qu'il « faut lancer l'ardent appel », alors que, quelques lignes plus bas encore, l'écrivain, ayant terminé la citation de son propre texte, ajoute cette réflexion : « L'indépendance, je l'ai toujours pensé, ne nous viendra point de ces mouvements de jeunes. »

Il se peut. Mais alors, de qui ou de quoi viendra-t-elle ? « De nos dirigeants politiques acculés à de fatales impasses. » Aux yeux de l'auteur des *Mémoires*, il se dessine une évolution irréversible qu'accélérera l'accroissement du pouvoir des provinces. Celles-ci éprouvent des besoins en croissance plus rapide que leurs ressources financières ; pour augmenter leurs moyens, elles devront, pense-t-il, réduire la puissance du gouvernement central. Ce régime politique est condamné à changer, qui les oblige à « mendier, non leur pitance, mais... leurs conditions de vie à Ottawa ». Ne serait-ce pas là, reprise sous une autre forme, une idée de 1922 ? En ce temps-là, le directeur de *L'Action française* voyait un Québec indépendant émerger des ruines du monde anglo-saxon ; vision apocalyptique que remplace maintenant celle d'un État central assiégé par les provinces et forcé de leur abandonner une part croissante de ses pouvoirs. En ce temps-là, il s'agissait de se disposer à cueillir une indépendance issue d'un cataclysme subi par d'autres ; il est question de l'attendre maintenant d'une évolution déterminée par d'autres États.

Deux ans après avoir fait cette lettre, Lionel Groulx publie *Les Chemins de l'Avenir*. Nul ne saurait fouiller l'horizon de demain sans examiner les choix politiques qui paraissent s'offrir aux Québécois. L'auteur en distingue trois. Le premier se présente comme « le maintien de la Confédération actuelle quelque peu remaniée », situation dans laquelle la province trouverait « une autonomie proche de l'indépendance ». Le deuxième consiste en « une fédération d'États associés » conservant entre eux « un lien fédéral aussi ténu et souple que possible ». Le dernier est celui de « l'indépendance totale de l'État québécois ». Il analyse les trois thèses en présence. Avec raison, il a peine à voir comment les garanties que postule la première pourraient s'avérer plus efficaces que celles de 1867. Il ne confond pas la troisième avec un impossible isolement; elle suppose, réfléchit-il, « des ententes politiques, économiques, voire des échanges culturels » avec l'ensemble canadien; il doute cependant que, dans pareille conjoncture, cet ensemble puisse tenir: sa structure géographique serait rompue, et l'économie des provinces en viendrait à être prise « dans l'engrenage américain » à tel point que l'auteur se demande s'il y aurait quand même, « pour elles et pour le Québec, possibilité d'un marché commun entre économies complémentaires ». Reste donc la formule des États associés, « solution moyenne » qui pourrait bien être « la solution temporaire » ; car si, à l'expérience, il se vérifie que le Québec peut vivre seulement dans l'indépendance, alors, « il n'aura plus qu'à ramasser ses énergies et à faire face au défi ». En 1965, il confirme à la *Tribune* de Winnipeg et au *Star* de Montréal qu'il se fait de l'avenir de la fédération canadienne « l'image d'États associés ».

Dans les dernières pages de ses *Mémoires*, celles qu'il écrit l'année de sa mort, il prédit que « les plus graves conflits restent à venir ». Ils ne s'élèveront pas, pense-t-il, « à l'intérieur du Québec, mais entre Québec et Ottawa ». À Ottawa, il voit « un retour agressif d'une politique centralisatrice» de nature à pousser Québec sur la pente de «l'agitation constitutionnelle pour des réformes en profondeur qui ont nom: État associé, 'statut particulier', indépendance à défaut d'égalité». Le maintien du statu quo lui apparaît comme une «impossibilité». Il aura donc prévu le durcissement des positions fédérales, déjà perceptible, il est vrai, depuis l'entrée sur la scène canadienne de nouvelles vedettes d'origine québécoise dont l'emploi sera de raviver, par l'exemple de leur succès personnel, l'intérêt des francophones envers les institutions et les objectifs fondamentaux de l'État central. Il disparaît trop tôt pour constater que les conflits destinés à se développer, il a raison de l'écrire, «entre Québec et Ottawa» auront aussi l'effet, secondaire sans laisser d'être important, de diviser le Québec contre lui-même. C'est pourquoi, peut-on croire, il n'envisage pas l'hypothèse, à peu près aussi plausible que les trois autres, d'un statu quo susceptible de modernisation dans son appareil, quoique résistant au changement dans ses finalités.

On l'aura remarqué, les idées qu'il exprime sont dans l'air. Quelle est, dans ces conceptions, la part de la création collective et celle du sentiment d'un homme? Les idées, et dans tous les ordres, même dans celui de la science, un historien l'apprend, ne prennent corps que dans la mesure où un groupe humain les adopte, les assimile, s'en nourrit et, inévitablement, les métamorphose ou, du moins, les adapte à ses appréhensions, à ses besoins et, s'il en a la force, à ses ambitions. Lorsqu'il relance, en 1922, le grand débat sur l'indépendance, Lionel Groulx pose un acte historique, et plus gros de conséquences qu'il ne peut le prévoir. Acte historique et non pas étroitement politique, comme il s'efforcera plus tard de le penser. Les « balancements » qu'on lui a reprochés entre le fédéralisme et l'indépendance, il s'en défend par sa « répugnance à [se] mêler de politique » et à sortir de son rôle de prêtre ; il avance même cet argument qu'il n'a « usé de [son] droit de vote que deux fois ». Pourtant, n'a-t-il pas été, en quelque sorte, le directeur — mal écouté — de la conscience d'un parti, le Bloc populaire canadien ? Aurait-il fallu le pousser beaucoup pour l'amener à reconnaître que le projet d'indépendance transcende la politique au sens restreint qu'il veut bien alors donner à ce mot ? Qu'est-ce qui a brouillé ses souvenirs de 1922, l'a fait évoluer de définition en généralisation et l'a engagé à choisir cette formule souple, non : élastique, d'État français, valable tant pour un Québec fédéré que pour un Québec séparé ? Aurait-il connu quelque chose de l'aventure que Lucien Febvre a dégagée du destin de Martin Luther, « père authentique du luthéranisme, mais cent fois confessant son trouble, son désarroi, lorsqu'il doit constater que les masses, dès le début, modifient ses idées en se les appropriant et leur font subir le sort que connaissent tous les grands créateurs d'idées ou de sentiments... » ? Dans semblable hypothèse, Groulx n'aurait pas confessé son désarroi, il serait lui-même devenu « groulxiste ». Interprétation séduisante, dans une certaine mesure, mais qui, pour ma part, me laisserait insatisfait. Interprétation incomplète, en tout cas, quelque part de vérité qu'elle puisse renfermer.

Face à l'indépendance, l'attitude, les attitudes de l'écrivain tiennent à des causes plus profondes que les courants d'idées visibles à la surface du mouvement dont il a été l'inspirateur. Dans leurs variations et jusque dans leur recherche d'une difficile cohérence, elles ne font que reproduire les aspirations déçues et les angoisses de la collectivité dont il est issu. Quand, avant et après 1922, il réclame une indépendance absolue et non relative à un ensemble, immédiate et non conditionnelle à l'éclatement spontané de cadres politiques existants, de quelle indépendance s'agit-il ? De celle du Canada. Combat interminable pour une cause qui allait fort bien se défendre toute seule et réussir comme l'entendait la majorité des Canadiens, au sein d'une culture politique que ceux-ci n'ont pas reniée, d'un Empire transformé en Commonwealth et d'un Commonwealth adapté à l'évolution de pays devenus souverains. Pourtant, ce « nationalisme » des années 1900 et 1940 n'est-il pas le vernis intellectuel qui recouvre un vieil instinct ? Il apparaît comme l'instinct d'opposition à un élément dominateur dont l'entêtement à rester britannique semble inexplicable, comme semble inexplicable son obstination à sacrifier tant de vies, à gaspiller tant de ressources à l'avantage de l'Empire. Le Canada dont les « nationalistes » réclament l'indépendance — dont ils exigent, en fait, la rupture avec ses origines historiques et l'éloignement de son point d'appui britannique —, ce Canada bâti, veulent-ils croire, en 1867, grâce aux Canadiens français et surtout pour eux, est, en un sens, une réplique de celui d'avant 1840, époque où, hors des voies de l'assimilation, il paraissait possible de poursuivre des objectifs nationaux. En 1922, Lionel Groulx va puiser son inspiration dans un passé encore plus ancien : « L'époque lointaine où, par la conscience acquise de notre entité ethnique, s'éveilla chez nous l'idée de patrie »...

Impossible de nier les perplexités de l'écrivain devant le problème de l'indépendance du Québec. Directeur de *L'Action française*, il le pose dans le contexte de l'écroulement du monde britannique. Pendant la Révolution tranquille, il fait le tour des formules possibles et marque sa prédilection pour celle des États associés. À la fin de sa vie, il veut voir dans les revendications des partenaires provinciaux la préfiguration des « impasses fatales » dans lesquelles sera bloquée la suprématie fédérale. Autant au fil d'arrivée de son expérience qu'à la ligne de départ de ses réflexions, il compte sur le vieillissement ou la mutation des structures dans lesquelles le Québec se trouve pris. En somme, d'abord sur l'impuissance puis sur la volonté des autres. Qui doutera que ce réflexe ne soit d'inspiration collective ? Déjà, au terme de son grand livre, François-Xavier Garneau avait supplié ses compatriotes d'être « persévérants », mais aussi de se montrer « sages ». « C'est aux grands peuples, leur avait-il enseigné, à faire l'épreuve des nouvelles théories. » Il conseillait : « Qu'ils soient fidèles à eux-mêmes ! » Témoin des terribles secousses de la décennie 1830-1840 et, surtout, de la mise en place d'un régime politique conçu pour éliminer ses compatriotes, il ne pouvait guère leur faire d'autres exhortations que celles-là.

Lionel Groulx vit dans une ambiance historique bien différente de celle dans laquelle s'est déroulée l'existence de son devancier. Des échecs, des rebuffades, des frustrations, soit, mais point de grands désastres ; ses pertes les plus sensibles, le Canada français les éprouve à l'extérieur du Québec. Aussi, lorsqu'il est lui-même dans la force de l'âge, l'écrivain prend-il avec ardeur le parti du changement. Cet écart — il dira cette « digression » — est de courte durée. Il rentre, sinon dans le rang, du moins dans le courant de la tradition. C'est, pourrait-on rappeler, en réfléchissant sur l'œuvre d'un historien, en commentant Tite-Live, que Machiavel est amené à écrire : « On doit être persuadé que jamais les réformes ne se feront sans danger. » Pourtant, dans l'histoire telle qu'il la conçoit, celle d'une « évolution politique en constante ascension », le successeur de Garneau ne devrait-il pas trouver, outre les raisons d'espérer qu'il a si souvent proclamées, des raisons aussi de convier les siens à franchir une nouvelle et dernière étape vers le sommet? Il revient, au contraire, à Bourassa et, durant le dernier quart de sa vie, se replie sur les « positions » qu'il tenait déjà avant 1922. Il ne s'agit pas de lui en faire grief; le phénomène est assez important pour qu'on cherche plutôt à le comprendre. Ne serait-ce pas que, tandis que l'histoire inspire de l'espoir à l'écrivain, l'observation de sa propre époque fait naître en lui le doute? En 1940, il a posé « en termes durs », signalent les *Mémoires*, la question qui l'obsède: « Le type *actuel* du Canadien français — entendons le type politique, le type économique et social, le type culturel — est-il viable? » Il souligne *actuel.* D'une façon encore plus abrupte, il jette, en 1953: « Posons donc la question carrément: sommes-nous si assurés de notre survivance? » Pour vivre, a-t-il déclaré la même année, il faut d'abord en faire le choix, « à la condition expresse... que le choix contienne tout ce qu'il implique loyalement: d'abord, et sans doute, la volonté résolue de vivre, mais encore la conquête franchement décidée des conditions essentielles de vie pour tout peuple ». Dix ans passent, certaines de ses idées triomphent avec la Révolution tranquille; il n'en sent pas moins grandir en lui les pires appréhensions.

Il regarde à sa fenêtre. Il voit passer les élèves d'une école voisine, « grands garçons et grandes filles » dont le comportement défie « toute pudeur ». Prêtre d'une morale sévère, séparé de ces jeunes par deux générations, il les tient pour doublement perdus: pris par les sens en même temps qu'abandonnés par les sauvegardes de l'éducation traditionnelle. La « révolution scolaire » est déclenchée. Il se demande « jusqu'à quelle néfaste décomposition intellectuelle et morale » elle conduira la société québécoise, alors que les tâches qui s'annoncent demanderaient « une génération saine, d'esprit clair, vigoureux, capable d'idéalisme vivant et d'efforts magnifiques ». Au-delà du spectacle qu'encadre sa fenêtre, à la dimension du Québec, quel tableau se présente à son regard ? Un immense peuple de gagne-petit dressé à exécuter, souvent en anglais, ses tâches subalternes. L'assimilation des immigrants par la minorité dominante. La détérioration de « notre langue française ». Une langue et une culture dépourvues même de valeur utile « et au surplus à demi mourantes ». On comprend qu'il réponde au jeune leader indépendantiste dont il vient de recevoir la brochure : « Ce qui m'arrête et me conseille la prudence, c'est notre maigre préparation à la suprême échéance. » Maintenant, ce n'est plus le monde anglo-saxon qu'il voit à la veille de crouler ; c'est son propre peuple qu'il voit induit à la tentation de se suicider.

Est-on digne de la liberté ? Ou bien est-ce la liberté qui rend digne ? Un grand historien que Lionel Groulx n'a guère pratiqué a vu naître son peuple asservi, dans la misère de la guerre de Cent Ans, à demi courbé sous le joug étranger, « sous l'éperon des gentilshommes, sous le ventre des chevaux » ; il l'a reconnu « souillé, défiguré » ; il l'a amené « tel quel au jour de la justice et de l'histoire » afin de pouvoir lui dire : « Vous êtes mon père et vous êtes ma mère. Vous m'avez conçu dans les larmes. » Et, dans son propre siècle autant qu'aux époques lointaines, avec le même sentiment filial, Jules Michelet a continué à vénérer le peuple dont il était. Non pas le peuple abstrait des archives, mais le peuple qui persistait à tirer sa vie comme il pouvait des champs avares et des usines mortelles ; sans détourner les yeux, il a compati aux infirmités qui le frappaient dans les villes, compati jusqu'à la « méchanceté » qu'il remarquait dans les campagnes pauvres; ainsi, avec une clairvoyance égale à son respect, il a compris: «Libre! grande parole qui contient en effet toute dignité humaine; nulle vertu sans la liberté.» Liberté, source unique de dignité.

Il y avait, il est vrai, du visionnaire chez Michelet. Un moment, il y en eut aussi chez Groulx. Peut-être certaines réalités se révèlent-elles à l'intuition du visionnaire, qui se dissimulent au regard de l'observateur. C'est ainsi que le petit prêtre encore un peu campagnard, avant de devenir un personnage très distingué, de prendre toute sa stature de chef et de s'entourer de toutes les prudences du sage, aurait soudain assumé les aspirations muettes et les rêves jamais oubliés du «petit peuple» en qui il ne voyait pas encore une masse inerte. À travers les alluvions des doctrines, au-delà des œuvres éphémères de l'histoire à demi savante, perçant les épaisseurs de papier du «nationalisme» d'ici et d'ailleurs, il aurait atteint ce que cachent les apparences et découvert, au sens propre, un fond immuable, à la fois souvenir et projet, doute et certitude, conscience et tourment. Alors, il aurait eu la vision de la patrie: *patria*, pays des pères. C'est ce qu'il montre aux fils. Peu importent, après cela, les éclaircissements convenables qu'il s'ingénie à formuler et les formules qu'il emprunte à l'actualité. Le «vent qui passe» n'emporte pas tout. Permanente, la vision continue d'émerger des systèmes qui changent. À cause d'elle, les jeunes de 1930 viennent à lui, et à cause d'elle toujours ceux de 1960. Elle demeure à jamais liée, quoi qu'il en ait, au rôle qu'il a véritablement tenu. C'est elle que rejoint, par d'autres voies, une nouvelle conception de l'histoire.

Au milieu des vieilleries de la bibliothèque paternelle ou dans le studieux ennui de celle d'un collège, parmi les soldes d'un libraire ou dans une pile de prix de fin d'année, un jeune être, quelque jour, aperçoit un mince volume. Un dessin malhabile en orne la couverture: au premier plan, un cap, sans doute celui de Québec, coiffé d'un bloc qui veut être un bastion, fortification sommaire surmontée d'un drapeau démesuré; le drapeau est bleu avec une grande croix blanche et, dans les coins, des fleurs de lys pointant vers le centre: à très peu de chose près, le pavillon, déjà, de l'avenir; à l'horizon, le demi-disque du soleil levant; sur tout cela se détache un titre: *Notre avenir politique*. Comme André Laurendeau, il se pourra que le jeune lecteur rapporte avoir parcouru le livre avec attention. Ou bien il ne racontera rien. Après le personnage de Stendhal, il murmurera peut-être: « Mon mal vient de plus loin. » De plus loin qu'un jour de septembre 1759: de la nécessité, de la dignité aussi, d'appartenir à cette espèce humaine, dont c'est l'inéluctable, obscur et magnifique destin que de voir l'épanouissement de l'être unique passer par les contraintes et les chances d'une communauté fraternelle.

CONCLUSION

Mes Mémoires refermés, rangés les autres ouvrages dont ils ont entraîné la relecture, on reste avec l'image d'un homme, le rythme d'une époque et la présence d'un peuple. L'image a gagné en précision ; le rythme, en complexité ; la présence, en intensité.

Si Lionel Groulx s'est permis le « délassement » que lui occasionne la cueillette de ses souvenirs, c'est qu'il lui paraît possible de donner une intention « apostolique » à cette longue promenade dans le jardin de ses « spicilèges » et le champ de ses écrits. Il entend moins se raconter que résumer « le travail, les soucis de [sa] vie » et lier la gerbe des idées qu'il s'est employé à répandre. Il entreprend son autobiographie « avec l'espoir, précise-t-il, de continuer, quand je n'y serai plus, ce pourquoi j'ai vécu ». Ces mémoires d'un homme d'action veulent être eux-mêmes action.

Homme d'action, en effet, plus qu'historien, tel est bien le jour sous lequel il se présente. Et cela, sans le rechercher, en laissant simplement les faits tomber en place par leur seul poids. Du reste, il le reconnaît sans équivoque, l'histoire lui a été un moyen d'intervention : « par obéissance à [ses] supérieurs », il a accompli une « tâche » consistant à rappeler à un peuple « son passé, les éléments spirituels de sa culture, de sa civilisation, et par là, lui faire retrouver son âme, et du même coup, le destin que Dieu y a inscrit ». Il remplit donc une « mission » plus qu'il n'exerce un métier. Ce n'est pas à dire qu'il pratique celui-ci sans succès : le titre d'historien national atteste son prestige. Il se trouve que cette profession est, en un sens, ingrate. En tant qu'œuvres de recherche, les ouvrages d'histoire, même les plus marquants, sont destinés à n'avoir qu'un temps, sort qu'ils partagent avec tous les travaux de caractère scientifique, de quelque discipline qu'ils relèvent. Ils répondent aux questions que se pose une génération et, quand ils se révèlent dynamiques, servent de tremplins à l'essor de connaissances nouvelles. Après quoi, ils entrent à leur tour dans l'histoire des idées et en deviennent des documents ; or, un historien est bien placé pour le savoir, l'utilisation des documents comporte des opérations de critique. L'auteur de l'*Histoire du Canada français* demeure un historien considérable, et justement pour les raisons qui viennent d'être indiquées. Il n'en reste pas moins que ce qui fait en lui l'unité, ce n'est pas la pratique de l'histoire, c'est l'action.

Il y a de la naïveté à imaginer que les pensées des dernières années se tournent vers la mort inévitable. J'ai toujours trouvé admirable de franchise et de solide psychologie cette remarque du P. Le Jeune qui, après une périlleuse traversée de l'Atlantique, écrit en 1632 : « C'est autre chose de méditer de la mort dans sa cellule devant l'image du Crucifix, autre chose d'y penser dans une tempête et devant la mort même. » Lionel Groulx évoque la mort en quelques lignes rapides, vers la fin de son dernier cahier. Elle ne l'effraie pas. La perspective devant laquelle il recule est celle que figurent ces grands ormes qu'il a vus, dans sa campagne, perdre en trois longues années toutes leurs feuilles et rester debout, à jamais dépouillés de leur «panache». Pareille fin lui aura été épargnée. Sans connaître son appréhension, j'ai dit, à la nouvelle de sa disparition: il est tombé comme un grand arbre. Avec tout son panache, ainsi qu'il l'avait souhaité.

Un énorme appétit de vivre avait traversé toute son existence, et une insatiable soif d'activité. D'une conférence de 1953 se détache une page scandée de «Vivre... vivre... vivre... pour l'amour de la vie, de la liberté, de l'indépendance, pour ce qu'il y a de bienfaisant et de sacré dans la fidélité à son être...» Cette page le peint mieux encore que les explications et les idées dont il a rempli ses mémoires. Plus que d'un homme, les idées sont d'un temps et d'une société. Elles se transforment et se succèdent. Elles passent. La faim de vivre ne passe pas.

Ce n'est pas, on l'aura compris, que ses idées soient négligeables. Fussent-elles restées sans écho — elles ont, en fait, résonné jusqu'au fond de la conscience nationale —, elles n'en vaudraient pas moins par elles-mêmes, par leur élévation et leur noblesse. Les valeurs qu'il a exaltées supposaient une ascèse. Il a fait appel à la volonté, à l'effort, à la discipline, à la possession de soi-même. À ses yeux, la liberté se gagne, la dignité se mérite, et l'honneur se conquiert. Les jeunes l'ont écouté parce qu'il enseignait le dépassement. Il a puissamment contribué à préparer de longue main l'étape de 1960, qui représente la ligne en-deça de laquelle, désormais, le Québec n'acceptera plus de fixer son destin. À l'horizon de 1922, il a vu se lever un soleil que ni lui-même ni ses contemporains n'ont pu longtemps regarder en face. C'est quand même lui qui a signalé la présence de cet astre dans le ciel.

Qui a connu Lionel Groulx doit faire un effort pour se souvenir qu'il est né sept ans seulement après la mort de Papineau et du vivant de John A. Macdonald, d'Honoré Mercier, de Mgr Bourget, de Crémazie, de l'abbé Casgrain et de Calixa Lavallée. Le Canada de sa petite enfance compte à peine plus de quatre millions d'habitants et le Québec, moins d'un million et demi. Dans la préface de son *Histoire du XIXe siècle,* Michelet s'étonne que le temps ait « doublé le pas d'une manière étrange » ; il réfléchit : « Dans une simple vie d'homme (ordinaire, de soixante-douze ans), j'ai vu deux grandes révolutions qui autrefois auraient peut-être mis entre elles deux mille ans d'intervalle. » À considérer le monde et l'évolution des genres de vie, l'historien québécois aurait pu renchérir sur cette réflexion ; du point de vue politique, qui l'intéressait le plus, il lui aurait fallu constater le contraire en observant sans illusion son pays.

Cependant que le Canada, entraîné par les États-Unis, et le Québec, à la remorque du Canada, s'industrialisaient, s'urbanisaient et se dotaient de grands moyens de communications, le Dominion roulait toujours sur les rails qu'il s'était forgés en 1867 : la voie s'allongeait, le train aussi, il se produisait des secousses et des arrêts, mais la feuille de route ne variait pas sensiblement, et la destination ne changeait point. Les crises « diviseuses » se succédaient : exécution de Riel, guerre des Boers, conflits linguistiques, guerre de 1914, guerre de 1939.

Ceux qui s'opposaient étaient toujours les mêmes, et toujours les mêmes ceux qui imposaient leur volonté.

À l'occasion de chacune des crises, les Québécois s'agitent, puis se calment et semblent oublier. Ils veulent être d'un pays — mais celui dont ils rêvent s'abstient sans mal de leur concours actif pour prospérer, se passe de leurs idées pour réaliser ses ambitions nationales et refoule leur culture là où elle a son berceau: il leur faut plus d'une leçon pour apprendre qu'être minoritaire, c'est être mineur. Sans s'y résigner, ils se rabattent sur leur province — mais, en province, la vie publique ne s'élève pas au-dessus d'un certain niveau, les idées qui ne viennent pas d'ailleurs ne se déploient pas, elles non plus, en hauteur, et une culture risque de tourner au folklore: il leur faudra comprendre qu'être provincial, c'est s'accommoder d'une vie réduite. Tel est le drame de l'époque, lisible dans les mémoires de Lionel Groulx.

Oeuvre d'un écrivain authentique et d'un membre de l'enseignement supérieur, comment ne pas remarquer jusqu'à quel point ce livre, consacré à des combats d'idées, fait petite la part des milieux littéraires et universitaires? Plutôt qu'un lieu où souffle l'esprit, l'université des *Mémoires* apparaît comme un endroit où couvent les petites querelles et s'enfle la grande éloquence. Quant à la littérature, l'auteur en parle un peu à propos de ses *Rapaillages* et de la position qu'adopte *L'Action française* à l'égard du «problème intellectuel». Il défend encore le régionalisme, dont un article de sa revue faisait, en 1927, un «synonyme de littérature nationale». Synonyme ou succédané?

C'est que tout se tient. Pris dans la médiocrité provinciale, les Québécois cherchent divers moyens d'en sortir. Ils se construisent une « grande patrie » canadienne à leur fantaisie et une « petite patrie » québécoise à la mesure d'ambitions modestes. Il n'y a rien d'étonnant à ce qu'ils transposent cette singulière conception sur le plan intellectuel. Ils s'y retrouvent encore provinciaux : « De par sa langue et par certaines hérédités de l'ordre de l'esprit, le Canada français, professe Lionel Groulx, se peut considérer comme une province de France » ; province autonome, ajoutera-t-il, province « séparée ». En même temps, le régionalisme accentue les insuffisances de la province et engendre visiblement moins de chefs-d'œuvre que de débats.

Comme tout cela est artificiel, confus, contradictoire ! En revanche, tout s'éclaire et s'humanise dès que le Québec se conçoit comme l'unique patrie. Dans cette perspective seulement prennent leur signification les petites patries à taille d'homme — celle de Vaudreuil en est une — où un être peut garder ou renouer le contact avec son milieu natal sans risquer une sensation d'étouffement. Par ailleurs, afin de s'insérer dans les grands courants de création et d'échanges culturels, la patrie québécoise n'est pas forcée de se déguiser en province de France ; sa place normale l'attend au sein d'une communauté internationale de pays libres : la francophonie. Avant de déboucher sur cette représentation simple et naturelle de la réalité, il aura fallu passer à travers un siècle de complications. Parce qu'ils reflètent ce siècle, il arrive aux *Mémoires* d'être compliqués.

Une présence silencieuse habite ce livre et toute l'œuvre qu'il résume : celle d'un « petit peuple » aux prises avec d'énormes forces obscures. Peu importent les noms que l'écrivain leur donne: impérialisme, centralisme, «trahison» des hommes politiques, matérialisme, influence américaine... L'impérialisme, qu'est-ce d'autre que la désignation abstraite, savante et contemporaine du conquérant? Le centralisme, on voit mal quel prodige aurait pu y soustraire le régime dont John A. Macdonald, son principal architecte, prévoyait dès 1865: «Envers les gouvernements locaux [provinciaux], le gouvernement général [fédéral] occupera exactement la même position que le gouvernement impérial occupe actuellement à l'égard des colonies.» L'envahissante et vaine politique, ce «chancre», comment n'y pas déceler l'impuissance d'une nationalité à organiser sa vie publique? Généralement lié à l'influence américaine, le matérialisme caractérise une évolution déroutante des mœurs.

Le dernier de ces thèmes éveille de profondes vibrations. En condamnant ce qui nous vient des États-Unis, Lionel Groulx ne saurait légitimement viser le sens de la démocratie, les œuvres littéraires et artistiques, le progrès scientifique et technique, tout ce qui exprime le meilleur de la civilisation américaine. Qui n'aurait avantage à entrer en rapport avec pareille puissance de création? À partir de 1940, des Québécois de plus en plus nombreux en bénéficieront et en feront profiter leurs compatriotes. On se souvient, par ailleurs, de la page frémissante d'indignation dans laquelle l'écrivain stigmatise le théâtre, les modes, les magazines et les journaux d'outre-frontière. Que leur reproche-t-il? Comme, plus tard, aux jeunes de 1960 — qu'il juge américanisés —, leur immoralité. Ce texte, que les *Mémoires* ne reproduisent pas, remonte à la fin des folles années vingt.

Il donne, il faut l'avouer, un étrange spectacle, le «petit peuple» qui, à ce moment, avant que la radio et les vedettes locales ne popularisent les productions locales et françaises, adopte des chansons, des idoles, un cinéma et une presse illustrée dont il entend mal la langue. Spectacle assez banal en soi: dans une mesure variable, à peu près tout l'Occident en est le théâtre; mais spectacle qui, chez nous, dénonce une cruelle indigence de créativité. Au niveau des masses, il correspond au mimétisme de notre pâle milieu intellectuel. Il n'est qu'un signe parmi d'autres. À un autre palier, l'économie traditionnelle, depuis longtemps battue en brèche, n'est-elle pas bouleversée, trop faible pour les assimiler, par les techniques financières, industrielles et commerciales issues du dynamisme américain? Quand, bientôt, la machine grippera, la main-d'œuvre francophone, composée en partie de ruraux déracinés d'hier, sera, de toutes, la plus durement atteinte par le chômage. Dans le secteur politique, Québec représente une petite administration locale que l'on accuse de plus en plus de corruption.

En racontant les combats qu'il a menés à l'époque, Lionel Groulx décrit indirectement le champ de bataille et, du même coup, l'état pitoyable de la grande victime: le peuple désaxé, désorbité, déshérité de son pays depuis cinq générations, entraîné par une évolution qu'il ne maîtrise pas, en passe d'être dépossédé de lui-même. Présence silencieuse, avons-nous dit, que celle de cette multitude. Une lente 'ressaisie' s'opère. L'écrivain n'a pas semblé la voir s'amorcer. Non sans étonnement, il constate la percée d'idées qu'il comptait presque pour perdues. Il les reconnaît et, à raison, les revendique. Il renvoie au livre ou à l'article dans lesquels il les a autrefois exprimées.

Certes, les esprits curieux d'aller au-delà des textes voudront savoir un jour comment s'est pris l'imperceptible virage qui amène les Québécois, vers 1960 — et ils ne font que commencer —, à remettre le cap sur Québec, à réassumer leur destin, à redécouvrir leurs propres institutions politiques, à percevoir la nature de leurs besoins économiques et à entrevoir la nécessité d'une action culturelle concertée sur le plan collectif: en un mot, à rassembler les éléments d'un projet de société.

L'autobiographie, cependant, n'est pas l'histoire. Elle en est un matériau et demande à être traitée en conséquence. Quant à l'histoire, pour rendre compte de l'évolution de ce peuple, elle évoquera peut-être le rétablissement d'une chaire, un mince volume à couverture bleue sorti des presses en 1923, l'effervescence idéologique de l'entre-deux-guerres et un petit homme en noir qui faisait des conférences, les frustrations des années quarante, le choc culturel de l'après-guerre, l'ère de « l'autonomie provinciale », le développement des sciences sociales (y compris les disciplines historiques), un désir, combien compréhensible! de changement, le coude-à-coude de la vie urbaine, la croissance des moyens d'information, la multiplication par quatre du nombre des Québécois en trois générations...

Qui vivra verra.

TABLE

DU MÊME AUTEUR

Iberville le Conquérant. Montréal, Société des Éditions Pascal, 1944. Réédité sous le titre de *Pierre Le Moyne d'Iberville*, Montréal, Éditions Fides, 1968.

La Civilisation de la Nouvelle-France. Montréal, Société des Éditions Pascal, 1944. Montréal, Éditions Fides, 1969.

François Bigot, administrateur français. 2 vol., Montréal, Institut d'histoire de l'Amérique française, 1948.

Histoire du Canada par les textes, en collaboration avec Michel Brunet et Marcel Trudel. Montréal, Éditions Fides, 1952.

Le Grand Marquis : Pierre de Rigaud de Vaudreuil et la Louisiane. Montréal, Éditions Fides, 1952.

Frontenac, en collaboration avec Lilianne Frégault. Montréal, Éditions Fides, 1956.

La Guerre de la Conquête. Montréal, Éditions Fides, 1956.

Le XVIIIe Siècle canadien. Montréal, Éditions HMH, 1968.

Chronique des Années perdues. Montréal, Éditions Leméac, 1976.

ACHEVÉ D'IMPRIMER SUR
LES PRESSES DES ATELIERS
MARQUIS DE MONTMAGNY
LE 31 MARS 1978 POUR
LES ÉDITIONS LEMÉAC INC.